l' **ABC***daire*

de

l'Islam

Yves Thoraval

Flammarion

S O M M

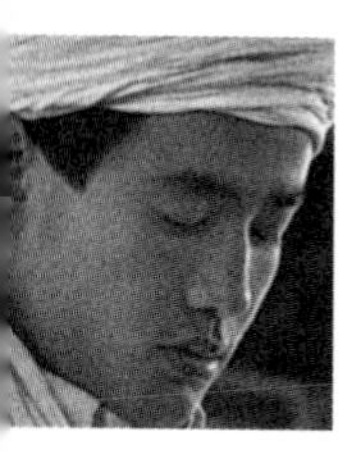

L'abécédaire

Il se compose des notices suivantes, classées par ordre alphabétique.
À chacune d'elles est associée une couleur qui indique sa nature :

Les fondements de la doctrine

Ablutions
Abraham
Ali
Allah
Calife
Charia
Circoncision
Commentaires
Conversion
Coran
Coutumes vestimentaires
Fêtes
Imam
Interdits alimentaires
Kaaba
Mahomet
Marabout
Mecque (La)
Muezzin
Paradis
Pèlerinage
Piliers
Prophètes
Ramadan
Soufisme
Sultan
Vendredi
Voile

Le contexte historique

Abbassides
Arabie antique
Bagdad
Byzance
Chiisme
Christianisme
Confréries
Croisades
Djihad
Fatimides
Hégire
Jérusalem
Judaïsme
Moghols
Omeyyades
Ottomans
Persan
Réformisme
Seldjoukides

Le contexte culturel

Arabe
Arabesque
Architecture
Bibliothèque
Calligraphie
Couleurs
Écoles juridiques
Femme
Image
Livre (art du)
Mausolée
Mihrab
Minaret
Minbar
Mosquée
Palais
Sciences
Universités

Au fil de ces notices, et grâce aux renvois signalés par les astérisques,
le lecteur voyage comme il lui plaît dans l'abécédaire.

Depuis le VIIe siècle de notre ère, époque à laquelle Allah fit « descendre » son message sur le prophète Mahomet, le nombre des fidèles de l'islam s'est accru à un rythme extraordinaire. On compte aujourd'hui un milliard de musulmans. La majorité d'entre eux vit en Afrique et en Asie, mais l'islam a étendu sa présence dans le monde entier, y compris en Europe occidentale et en Amérique du Nord.

L'irruption d'un peuple dans l'histoire

Les Arabes, du paganisme à l'avènement de l'islam

Les origines des Arabes se perdent dans la nuit des temps, mais des mentions des *Aribis* ou *Arab* – synonymes de « nomades » – figurent dans des inscriptions assyro-babyloniennes du IXe siècle avant notre ère. Ce n'est qu'au VIe siècle que le poète Imru al-Qays, dans le premier texte gravé connu en langue arabe* (en caractères nabatéens, utilisés à Pétra), se revendiqua « roi de tous les Arabes ». Au nord et au centre de la péninsule Arabique, dans l'*Arabia deserta* soumise à des conditions climatiques très dures, pasteurs nomades vivant sous la tente, agriculteurs des oasis et caravaniers – le chameau fut domestiqué au IIe millénaire – restèrent longtemps à l'écart des foyers de civilisation du Proche-Orient classique. Toutefois, loin d'être totalement isolée, l'Arabie* centrale était un lieu de transit pour le commerce terrestre entre le sud de la péninsule et la Méditerranée. La civilisation urbaine de l'*Arabia felix* (l'« Arabie heureuse », c'est-à-dire le Yémen), enrichie par la production de l'encens et des épices que les cultes antiques consommaient en quantités énormes, connut en effet son apogée au Ier millénaire. Arabes du nord et du sud se rattachaient à deux ancêtres mythiques, Adnan et Qahtan, et plus lointainement à Ismaël (Ismaïl), fils d'Abraham*. En Arabie centrale (Hedjaz), il n'existait pas d'État organisé mais des cités marchandes caravanières dirigées par des oligarchies tribales sédentaires. La plus importante de ces villes, La Mecque*, réalisait des bénéfices considérables en tant que siège à la

Halte à l'entrée du village. Miniature extraite des *Séances* d'al-Hariri, Bagdad, 1236. Paris, BNF, Mss or., Arabe 5847 (f. 101).

Prière du vendredi à la mosquée Istiqlal, Jakarta (Indonésie).

fois de la foire et du pèlerinage païen à la Kaaba*. Les joutes poétiques qui s'y tenaient périodiquement favorisèrent la formation d'une langue arabe intelligible par un nombre croissant d'habitants de la péninsule. Par ailleurs, des Arabes à la recherche d'une vie meilleure avaient émigré depuis des siècles sur les confins syro-irakiens où, au VIe siècle de notre ère, les royaumes arabes chrétiens des Lakhmides et des Ghassanides étaient les « clients » de la Perse et de Byzance, en lutte pour la suprématie régionale. Enfin, les contacts avec le monothéisme juif et chrétien, présent depuis les origines en Arabie, influèrent sur le ralliement de nombreux Arabes à l'islam – terme qui signifie littéralement « soumission (*aslama*) à Dieu ».

Mahomet, prophète armé et chef politique

Dernière religion universelle révélée, l'islam est venu « sceller » la tradition monothéiste « détentrice de l'Écriture », caractéristique du monde sémitique, tout en reconnaissant la validité des révélations précédentes, l'Ancien et le Nouveau Testament. Mais la nouvelle foi apporta des ruptures : d'abord dans la société arabe, unifiée, délivrée de son état d'« ignorance » et de « sauvagerie » (*jahiliyya*), et bientôt conquérante hors de ses frontières ; ensuite dans la tradition prophétique sémitique elle-même, puisque Mahomet* (altération de *Muhammad*, littéralement « digne de louanges ») surpasse les prophètes* – Moïse, Jésus… – qui l'ont précédé et remplace leur message par le Coran*, la parole d'Allah* directement « descendue » sur lui en arabe pour réaffirmer solennellement le credo central de l'islam, l'absolue unicité divine. Même s'il contient des stipulations normatives, sinon juridiques, le Livre sacré est moins un manuel de gouvernement que le recueil des préceptes de la loi canonique de l'islam, la charia* ; c'est aussi un monument littéraire, qui demeure jusqu'à nos jours le moule de la sensibilité arabo-islamique. Après la mort de Mahomet, la *sunna* (d'où le mot « sunnisme », doctrine à laquelle adhèrent 90 % des musulmans), qui contient les usages, paroles, us et coutumes du fondateur de l'islam, devint le complément décisif du

Mahomet se prosterne devant Allah. Miniature extraite du *Livre de l'ascension du Prophète*, XVIe siècle. Paris, BNF, Mss or., Suppl. turc 190 (f. 44).

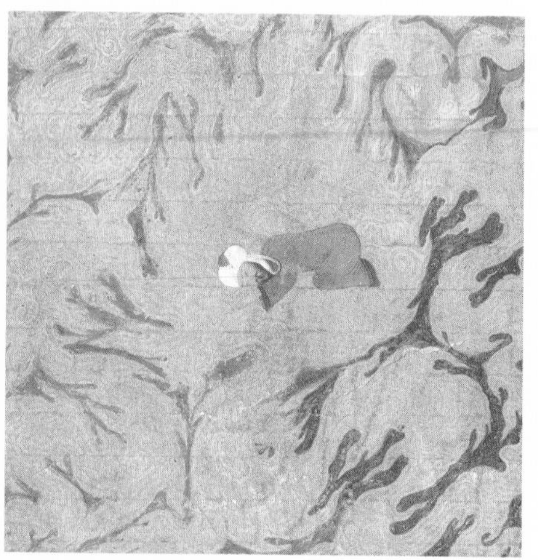

بسم الله الرحمن الرحيم
كتاب الذبائح والصيد باب
التسمية على الصيد وقوله
يا أيها الذين آمنوا ليبلونكم الله
بشيء من الصيد الآية وقوله عز وجل

Recueil de propos du Prophète. Page extraite du *Recueil authentique* d'al-Buhari, Iran (?), 1440. Paris, BNF, Mss or., Arabe 6437 (f. 2v°).

Coran. Anarchie tribale et rivalités entre cités commerçantes trouvèrent bientôt dans la nouvelle religion le vecteur unificateur d'une communauté des croyants (*umma*) solidaire et théocratique où, comme dans le judaïsme*, religion et organisation de la cité étaient étroitement mêlées. C'est après l'hégire* que le Prophète se mua en législateur religieux et social, doublé d'un chef du djihad* contre les Mecquois et ceux qui refusaient l'islam. Il ne se prévalait pas de dons miraculeux et assumait les rôles d'un simple être humain – époux, père, chef de guerre et homme politique – dont la diplomatie était souvent célébrée. Choqué par le profond inégalitarisme de la société arabe, il tenta de l'orienter vers plus de justice. Par ailleurs, le fait que de nombreuses tribus arabes se soient ralliées à sa prédiction, par la guerre ou la conversion*, le contraignit à organiser celles-ci sous une autorité suprême transcendant égoïsmes et esprit clanique.

Combat contre des Asiatiques. Miniature extraite du *Livre des rois* de Firdoussi, XVIIe siècle. Le Caire, Bibliothèque nationale.

Djihad et conversions

Après la mort du Prophète, les premiers califes* lancèrent les Arabes dans un vaste djihad pour qu'ils fassent de l'Islam un immense empire : l'effondrement de la Perse sassanide ouvrit la voie de l'Iran et de l'Asie centrale, cependant que Byzance* perdait la Syrie et la Palestine, puis l'Égypte. La conquête méthodique du Maghreb s'effectua à partir de Kairouan, une ville de garnison fondée en Tunisie à l'instar de Kufa (Irak) et de Fustat (Égypte). Les conquérants se trouvèrent rapidement confrontés à l'organisation juridique – inédite pour eux – des nouveaux convertis qui affluaient. Ce problème fut à l'origine du « parti d'Ali* ». Les « gens du Livre » monothéistes – juifs, chrétiens, zoroastriens – purent conserver leur culte moyennant un impôt spécial. Sous les Omeyyades*, l'empire musulman s'étendit en Iran, en Afghanistan, dans la vallée de l'Indus et jusqu'aux Pyrénées. En 751, la victoire abbasside* de Talas – près de Tachkent – stabilisa les frontières entre l'Islam et la Chine. À l'ouest, dès 711, l'Andalousie fut conquise à partir du Maghreb tandis que l'Espagne, presque entièrement dominée en 715, devint la frontière entre Islam et Occident après l'arrêt, en 732, des avant-gardes arabo-berbères à Poitiers, en Gaule. À partir des Xe-XIIe siècles – si l'on excepte, entre autres exemples, le Soudan nilotique –, la diffusion de l'islam fut plutôt le fait de guerriers non arabes : Turcs en Inde et en Anatolie (les Seldjoukides* en particulier), Berbères en Espagne et en Afrique noire, Persans en Asie centrale, Mongols en Crimée et en Russie. Au XIIe siècle, les musulmans étaient bien implantés sur la côte swahilie (Afrique orientale) ; en 1206, la formation du sultanat de Delhi marqua le début de l'islamisation d'une grande partie de l'Inde, qui culmina avec les Moghols*. Enfin, dans les Balkans islamisés par les Turcs ottomans*, il subsiste quelque sept millions de descendants de convertis alors qu'il n'en reste aucun en Espagne après 780 ans de présence musulmane. L'islam s'imposa également pacifiquement grâce à l'action des commerçants, des marins, des missionnaires et des derviches soufis* arabes, indiens, persans,

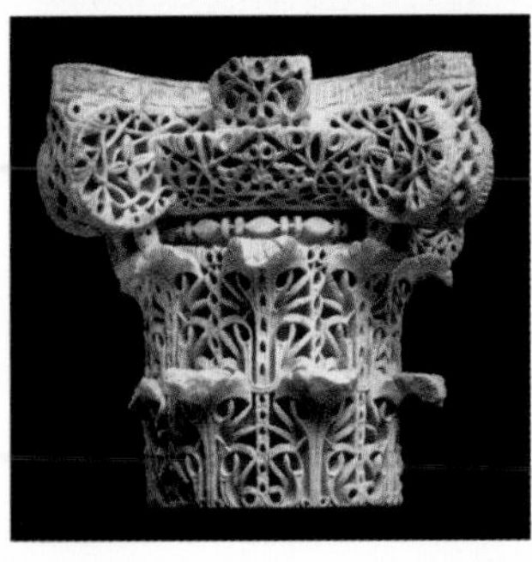

Chapiteau, Madinat al-Zahra (près de Cordoue), 972-973. Musée national du Koweït.

Madrasa al-Qartawiyyah, Tripoli (Liban).

واقامة
الصلاة

malais. Ce fut notamment le cas, dès le Xe siècle, dans l'océan Indien, en Asie du Sud et en Afrique noire et, à partir des XIVe-XVe siècles, en Malaisie et en Indonésie.

La communauté des croyants

Un islam pluriel et universel

Comme le christianisme*, l'islam est une religion prosélyte dont le monde entier constitue le champ d'action potentiel. Aujourd'hui, la communauté des croyants compte un milliard d'individus de toutes origines ethniques. L'islam est avant tout implanté en Afrique et en Asie, ce dernier continent abritant les États musulmans les plus peuplés : Indonésie, Pakistan et Inde (cet État, à 88 % hindouiste, compte à lui seul plus de 100 millions de citoyens musulmans). Tous les pays à majorité musulmane possèdent un mode de vie et des rites communs : ablutions*, prières et fréquentation de la mosquée* à heures fixes, fêtes*, interdits* alimentaires, coutumes* vestimentaires des hommes et des femmes*, certains types d'architecture*... Mais l'islam est également pluriel dans ses manifestations exotériques, car il est enraciné au sein d'une mosaïque de cultures et de religions très diverses : hindouisme en Inde, animisme en Afrique, christianisme en Europe (où résident aujourd'hui 10 millions de musulmans), bouddhisme en Asie du Sud-est, etc. Cette adaptation a souvent bénéficié de l'action des confréries* soufies, ou bien est passée par le syncrétisme avec des éléments culturels locaux tout en conservant l'unité du dogme. C'est le cas, évident, en Extrême-Orient et en Afrique, où les textes et les prières sont en arabe alors que les prêches se font dans les langues locales. Les traditions vestimentaires du cru ont pu être intégrées, agrémentées d'un turban ou d'une calotte blanche, couvre-chefs caractéristiques de l'islam. À l'inverse, rien n'a pu modifier certaines coutumes alimentaires enracinées ou importées : les Ouïgours du Xinjiang chinois mangent du porc, les Turcs boivent de l'alcool en public, de même que les musulmans du Proche-Orient.

Aujourd'hui, l'un des problèmes majeurs de l'islam est la confrontation avec des systèmes politiques laïques, surtout dans les États où les musulmans sont minoritaires. Leur revendication peut alors passer par l'identification avec des groupes nationaux, comme c'est le cas dans l'ex-Yougoslavie et l'ex-Union soviétique. Dans les États majoritairement musulmans, la confrontation passe par l'activisme de l'islam politique.

Les grands schismes

Les mouvements sectaires et politiques apparus au cours de l'histoire islamique se fixèrent souvent autour de croyances préislamiques messianiques, mais ils empruntèrent une forme religieuse étant donné la nature, par essence théocratique, de l'État musulman. À l'origine du

Retour de la prière, mosquée Layenes Yoff (Sénégal).

principal de ces mouvements figure une contestation de la succession au califat que Mahomet aurait promis à son gendre Ali. Ce dernier dut attendre pour accéder au pouvoir, cristallisant les insatisfactions des nouveaux convertis – notamment iraniens – dont beaucoup rejoignirent le « parti d'Ali » (*chiat Ali* en arabe, d'où le vocable chiisme*). Cette branche de l'islam représente de nos jours 10 % des musulmans, iraniens essentiellement.

Plus révolutionnaires, les kharijites (« sécessionnistes », en arabe) soutinrent Ali avant de l'assassiner, car il était trop modéré à leurs yeux. Ils croyaient à l'égalité de tous, sans distinction ethnique, à

condition de présenter une parfaite rectitude morale et religieuse. Rigoristes, ils excommuniaient – voire éliminaient – ceux de leurs membres qui commettaient une faute. Leurs descendants subsistent aujourd'hui, certes très modérés, parmi les Berbères du Mzab algérien, de Tripolitaine et de Djerba, et chez les ibadites d'Oman (50 % de la population).

Les ismaïliens, quant à eux, étaient fortement hétérodoxes par rapport au sunnisme majoritaire en Islam, car leur doctrine insistait sur une interprétation allégorique, sinon gnostique, des textes sacrés musulmans. Ils croyaient également en la métempsycose, atteinte sous la direction d'un imam*, une notion étrangère à l'orthodoxie sunnite. Liés à la dynastie fatimide* chiite, certains ismaïliens pratiquèrent au Moyen Âge l'assassinat politique d'éminents personnages sunnites. Les 600 000 ismaéliens actuels, très pacifiques, résident principalement en Inde et au Pakistan. Enfin, les druzes (Liban, Syrie, Israël) et le groupe ethnico-religieux des Alaouites (Syrie) sont souvent considérés comme issus de l'ismaïlisme. Quant aux millions d'Alévis de Turquie, kurdes en majorité, on les rattache à une branche chiite propre à la région.

Grande Mosquée ou Jama Masjid, Delhi (Inde).

L'islam politique actuel

Dans le monde musulman contemporain, « fondamentalisme », « islam militant », « intégrisme » ou « islamisme » sont des notions souvent attachées aux mouvements de « refondation » religieuse partisans, face aux défis de la modernité. Tous prônent un retour à la charia comme source unique du droit, une position généralement défendue par les théologiens sunnites et chiites, alors que les réformistes* musulmans du XIXe siècle et du début du XXe ne rejetaient pas le rationalisme occidental. De fait, les clercs d'aujourd'hui, très méfiants vis-à-vis des techniques et des valeurs occidentales, aspirent à « islamiser » la société par le bas en réformant les comportements individuels. Aucun projet politique cependant dans leur démarche, car ils s'accommodent de régimes politiques aussi divers que le prési-

La Mecque, IIIe Sommet islamique, 25 janvier 1985.

dentialisme pakistanais ou la monarchie wahhabite d'Arabie Saoudite. Ce dernier pays présente un succès politique durable de l'intégrisme ; en outre, ses revenus pétroliers lui permettent de financer les groupes qui l'agréent. Mais le vrai mouvement précurseur de l'« islamisme » contemporain fut celui des Frères musulmans, fondé en Égypte dans les années 20 par un instituteur, Hassan al-Banna, et qui essaima en force dans le monde musulman à partir des années 70. Dans cette optique, l'islam est considéré comme une idéologie politique plus que proprement religieuse, à l'instar des idéologies révolutionnaires occidentales, mais sans organisation politique internationale pour la coiffer. Du Maroc à l'Indonésie, les militants « islamistes » sont en effet rarement des religieux (sauf en Iran, le seul pays qui ait connu une révolution « islamiste ») ; le plus souvent, ce sont de jeunes intellectuels des deux sexes, nouvellement urbanisés et formés dans des lycées et universités* modernes. Dans tous les pays musulmans, des partis se revendiquent comme « islamistes » tout en se partageant entre modérés, intégrés à la vie politique locale, et « radicaux », certains groupuscules passant à l'occasion au terrorisme. Mais cette « réislamisation » tant souhaitée pourra-t-elle se réaliser autrement qu'à partir de l'État et d'une révolution politique ?

UNE CIVILISATION À LA GLOIRE DE DIEU

Un univers citadin par excellence

Par ses origines marchandes – le Prophète commerçait avant sa prédication – et son idéal, la civilisation musulmane est essentiellement urbaine, un trait déjà dominant des sociétés anciennes du Moyen-Orient. Pour al-Muqaddasi (Xe s.), le premier grand géographe musulman, la « véritable » cité était celle qui possédait une mosquée du vendredi* et qui était le siège du pouvoir politique, car tout provenait d'« en haut ». La cité musulmane répondait donc à l'organisation sociale de la communauté, indispensable à l'exercice collectif de la prière, et elle était aussi la source essentielle du prestige et du pouvoir. C'est là que résidaient théologiens (oulémas), imams, mystiques soufis et cadis (juges) dont le point de rencontre était la mosquée. Tous avaient une influence sur la réputation de leur ville, qui reposait beaucoup sur la qualité de l'enseignement de ses universités. Jusqu'à l'époque moderne, lois et institutions ont présenté une telle cohérence, liant chaque « citoyen » à une communauté urbaine, que l'on peut parler d'une société citadine islamique universelle, de l'Atlantique à la Chine, sans pour autant qu'une personnalité « communale » soit reconnue à ces entités comme en Europe. C'est

Mosquée Süleymaniye, Istanbul, 1550-1557.

d'ailleurs dans les villes que l'impact de la pénétration occidentale fut le plus fortement ressenti aux XIXe-XXe siècles. Outre La Mecque – la « Mère des cités » –, des villes mythiques maillent le monde de l'islam : Damas, Alep, Bagdad*, Le Caire, Ispahan, Chiraz, Samarkand, Boukhara, Agra, Cordoue, Fès, Marrakech, Istanbul, Kachgar… Dans leur organisation quasi immuable primaient le marché (*souk* en arabe, *bazar* en persan*), la citadelle ou le palais* fortifié du gouverneur, un ou plusieurs caravansérails pour les voyageurs et la mosquée-université entourée de libraires, de calligraphes et de boutiquiers. Chaque quartier possédait hammams et mosquées et, jusqu'au début du XXe siècle, les citadins se regroupaient souvent selon leur appartenance ethnique, confessionnelle ou professionnelle. Dans cet univers, agriculteurs et nomades se démarquaient notablement. L'économie de la ville reposait pourtant en partie sur les pre-

miers, qui pourvoyaient à ses besoins alimentaires et payaient des taxes aux autorités. Quant aux seconds, qui prenaient cycliquement le pouvoir avant de succomber aux délices de la sédentarité, ils figurèrent longtemps dans l'imaginaire citadin comme un « négatif » ambivalent.

Les arts : une synthèse entre sacré et profane

Dès les débuts de l'islam, les arts visuels connurent de remarquables réussites grâce au mécénat du pouvoir – califes, vizirs, sultans*, gouverneurs de province – et des marchands et notables citadins. Ces initiatives, qui diffusèrent d'abord des productions imitées de celles des ateliers de cour, furent à l'origine d'expressions artistiques variées, longtemps renouvelées selon les techniques, les époques et les régions. La fragmentation de l'Empire, à partir des XIe-XIIe siècles, favorisa le renouveau de styles « régionaux » réutilisant des formes préislamiques – iraniennes en particulier – ou fit naître de nouvelles synthèses. Et cela jusqu'au XIXe siècle, lorsque les productions et techniques européennes – les arts appliqués en particulier – envahirent l'aire de l'Islam.

Heurtoir provenant de la Grande Mosquée de Cizre (Turquie), XIIe-XIIIe siècle. Istanbul, musée des Arts turcs et islamiques.

Réputé foncièrement hostile à la représentation des êtres animés, l'art musulman n'est pas pour autant un art « religieux » à proprement parler, comme l'art chrétien ou bouddhique, mais l'émanation d'une culture et d'une civilisation majoritairement musulmanes. Les disciplines et les formes les plus proches du sacré ont ainsi bénéficié d'une évidente préséance : d'abord l'architecture, forme suprême des arts visuels car elle est à l'origine des mosquées, des madrasas-universités, des mausolées*, des mihrabs*, des minbars*... Ensuite, la calligraphie*, qui donne la priorité à la copie du Coran et aux inscriptions épigraphiques religieuses en arabe, langue sacralisée par le message du Prophète. Par ailleurs, l'utilisation décorative de l'arabesque* et de motifs géométriques et floraux prend en compte les réticences isla-

Vase. Égypte, XIVe siècle. Céramique à décor d'engobe. Paris, musée du Louvre.

Détail de la décoration murale de la mosquée du Régent, Chiraz (Iran).

miques vis-à-vis de l'image* représentant des êtres animés. Mais les arts musulmans ont abordé toutes les formes en utilisant un vocabulaire artistique immédiatement identifiable. D'une extraordinaire variété technique, iconographique et stylistique, la céramique a connu un prodigieux essor dans l'empire musulman comme objet d'art et produit industriel. Les Iraniens l'ont associée aux revêtements muraux, y compris dans les mosquées et sur les mihrabs. Enfin, il est logique, dans une civilisation du Livre* par excellence, que la miniature ait donné lieu à des productions remarquables malgré son indéniable dimension figurative.

L'islam et la philosophie : une rapide mise au pas

L'herméneutique des textes n'est pas une priorité pour l'islam puisque Dieu a directement fait « descendre » son message en arabe sur le Prophète. C'est avec le mouvement de traduction de l'époque abbasside que les méthodes philosophiques grecques et hellénistiques apparurent dans la « psyché » musulmane. Un calque du grec, *falsafa*, désigne d'ailleurs en arabe la philosophie rationaliste, alors partie prenante du remarquable essor scientifique et encyclopédique des VIIIe-XIe siècles. À leur profond sentiment religieux, des théologiens rationalistes mutazilites (en arabe, « qui prennent des distances ») superposèrent une part de rationalité grecque ; « neutres » vis-à-vis de l'orthodoxie, ils souhaitaient inscrire la religion dans une certaine vision du monde. Ils estimaient aussi que le Coran avait été « créé » (et qu'il n'était donc pas « descendu » sur Mahomet). Certains des plus grands esprits de l'Islam participèrent à ce bouillonnement intellectuel, notamment le philosophe-encyclopédiste arabe al-Kindi au IXe siècle, puis le médecin al-Razi (Rhazès) et l'Iranien néoplatonicien al-Farabi au siècle suivant. Pour ce dernier, le philosophe était à la fois prophète et homme. Également iranien, le médecin Avicenne tenta d'exprimer l'« existant » à la lumière de la Raison. Son influence fut très grande en Islam et l'avicennisme latin fut enseigné en Europe jusqu'aux Temps modernes. Il en fut de même pour les travaux du philosophe andalou Averroès. Médecin et juge (cadi) de Cordoue, ce deuxième « géant » de la philosophie musulmane pensait que l'intellect au centre de l'homme était identique au principe de la Création et que, par conséquent, révélation et philosophie étaient également porteuses de vérité. Ses livres furent brûlés et il mourut en exil… De son côté, le théologien soufi sunnite al-Ghazali se livra à une attaque en règle contre la *falsafa* : la « porte de l'effort

personnel » (*ijtihad*) était définitivement close dans le monde sunnite. Mais déjà, en 1067, la première madrasa inaugurait un type d'institution plus orthodoxe où les spéculations de la *falsafa* n'avaient plus droit de cité... C'est principalement l'Espagne qui allait transmettre les sciences* et la philosophie musulmanes à l'Europe.

La mondialisation actuelle perturbe douloureusement les certitudes d'un monde musulman confronté dans sa quasi-totalité au monde

occidental, formé d'États-nations et régi par un laïcisme qui relègue la religion dans la sphère privée. Certes, l'islam réaffirme chaque année sa cohésion – lors du jeûne du ramadan* ou du pèlerinage* à La Mecque –, mais il ne peut plus parler d'une seule voix, comme dans un lointain passé. Il est condamné à une interaction avec des forces extérieures, tout en étant lui-même déchiré par des fractures internes et taraudé par un repli rendu impossible par cette même mondialisation.

Rohinga en prière, minorité musulmane de Birmanie réfugiée au Bangladesh, 1992.

Abbassides

La dynastie abbasside (750-1258) a été fondée par Abbas, un oncle de Mahomet*, à partir d'un mouvement politico-religieux né en Iran. De fait, les Iraniens ont joué un rôle majeur dans l'organisation à Bagdad* d'un État centralisé théocratique et pluriethnique au sein duquel l'arabe* a constitué la langue de culture et de communication entre tous les peuples de l'Islam.
Très tôt, les échanges commerciaux irriguèrent l'Empire abbasside, mais favorisèrent aussi des relations avec Byzance*, l'Andalousie, l'Inde et le Maghreb. L'accumulation des richesses stimula l'épanouissement urbain et le mécénat artistique. L'agriculture fleurit, les institutions juridiques, administratives et militaires de l'empire furent élaborées, secondées par une efficace bureaucratie calquée sur le modèle persan (*diwan*). Le calife* remplit des fonctions spirituelles et temporelles jusqu'à ce que les Seldjoukides* confisquent ces dernières à leur profit, en 1055. Le rapide morcellement lié au déclin politique de la dynastie n'entrava pas l'essor d'une civilisation musulmane classique, qui atteignit son apogée entre le VIIIe et le XIIe siècle. Cependant, l'Empire abbasside connut de nombreuses révoltes, qu'elles soient religieuses, « hérétiques » ou même sociales comme celle des esclaves noirs (les *zanj*) des latifundia du bas Irak (868-883). Bientôt, des califats rivaux apparurent : fatimides* chiites* (909-1171) puis omeyyades* sunnites (929-1031). En 1258, les Mongols* anéantirent Bagdad et massacrèrent les Abbassides. L'un de leurs califes parvint néanmoins à se réfugier au Caire, chez les Mamelouks.

Ablutions

Pour accomplir leurs devoirs religieux, les musulmans sont tenus d'effectuer trois types d'ablutions qui leur restituent symboliquement un état de pureté rituelle. La « grande ablution » (*ghusl*) implique de se laver le corps tout entier après un contact avec un cadavre (ou un animal mort), des « pollutions » corporelles – relations sexuelles, menstruations et accouchements – ou des pertes de sang importantes. Le *ghusl* accompagne générale-

Pages précédentes : « Ablution mineure », mosquée Qarawiyin, Fès (Maroc).

Mosquée d'Abu Dulaf, Samarra (Irak), 851-961.

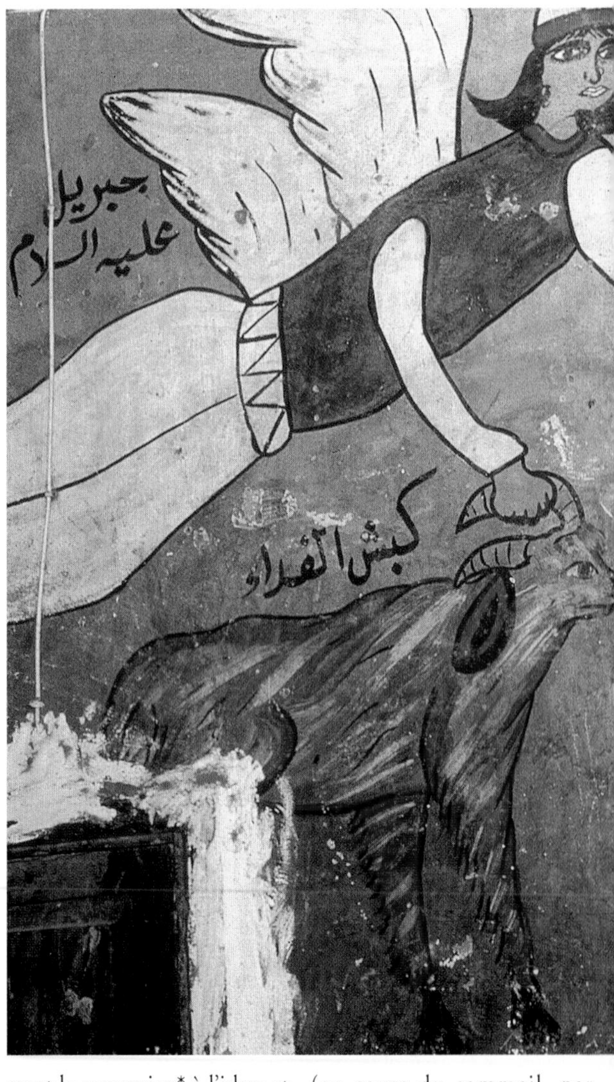

ment la conversion* à l'islam et le revêtement du « linceul » blanc (*ihram*) arboré pendant le pèlerinage* à La Mecque*. L'« ablution majeure » est requise pour pénétrer dans une mosquée* et même pour toucher un coran* rédigé en arabe*. L'« ablution mineure » (*wudu*) débarrasse des impuretés dues aux fonctions corporelles, aux saignements bénins ou à une perte de conscience temporaire (au cours du sommeil, par exemple). On l'accomplit aussi avant la prière canonique – en se lavant visage, pieds et mains – dans les salles d'ablutions attenantes aux mosquées, à condition de n'avoir pas perdu le bénéfice de l'état d'ablution majeure. Enfin, le *tayammun* autorise l'utilisation de sable ou de terre si l'eau manque ou est polluée. Ce rituel remplace les deux précédents.

Peinture murale, Minieh (Haute-Égypte).

Abraham

Abraham, l'« ami de Dieu » (*al-Khalil*), est abondamment mentionné dans le Coran*. C'est le premier *hanif*, précurseur de la religion universelle du genre humain. Venu parmi les Arabes retournés au polythéisme, c'est lui qui « restaura » – avec son fils Ismaïl (Ismaël) – la Kaaba* de La Mecque* édifiée par Adam. Or c'est précisément en cet endroit que Dieu lui enjoignit d'appeler l'humanité entière à se rendre en pèlerinage*. L'islam considère ainsi Abraham comme le patriarche des Arabes du Nord par le biais d'Ismaïl – son premier fils né de sa concubine égyptienne Hagar (Agar) – mais aussi comme celui des Hébreux par le biais d'Isaac, né de Sarah, son épouse légitime. Pour les musulmans, c'est Ismaïl qu'Abraham voulut sacrifier et non Isaac, son obéis-

يا علي
مدد

sance à Allah* étant récompensée par la naissance de ce dernier, malgré l'âge avancé de Sarah. À la fin du ramadan*, un mouton est égorgé en direction de La Mecque pour commémorer ce sacrifice. C'est près de la Kaaba qu'Allah a fait surgir la source providentielle de Zamzam – aujourd'hui près de la « station d'Abraham » dans la Grande Mosquée* de La Mecque –, source qui sauva de la mort Hagar et Ismaïl, errant assoiffés dans le désert après avoir été chassés par la jalousie de Sarah. Une quête éperdue « revécue » par les croyants au cours du pèlerinage à La Mecque.

Page de calligraphie stylisée, dont le motif est le nom d'Ali répété quatre fois. Bagdad, XVe siècle. Istanbul, bibliothèque du palais de Topkapi.

Ali

Issu du même clan que Mahomet*, dont il est le cousin et le gendre – il épousa sa fille Fatima –, Ali demeure une figure légendaire par sa dimension spirituelle soufie*. Par ailleurs, les chiites* le révèrent comme leur premier imam* (les deuxième et troisième étant ses deux fils). Son destin tragique, couplé avec celui de son fils Hussein (Hossein en persan*), est à l'origine du schisme chiite. Il devint en effet le quatrième calife* après l'assassinat d'Othman en 656, une nomination contestée par d'anciens compagnons du Prophète, rapidement battus. Muawiya, gouverneur de Syrie, qui briguait le califat, retourna à son avantage l'issue de l'indécise bataille de Siffin (658). En 661, Ali fut assassiné par un kharijite (« séparatiste ») fondamentaliste schismatique, probablement le bras armé de tribus opposées à toute autorité non cooptée par elles.

La mort d'Hussein, tué à Kerbela par les Omeyyades* en 680, est au centre de la culpabilité collective des Iraniens chiites qui se reprochent de n'avoir pu le sauver ; elle est commémorée chaque année par le *tazieh*, le « mystère de la passion d'Hossein ». Notons que c'est à Ali, Hassan et Hussein que les chérifs (« nobles ») musulmans, théoriquement descendants du Prophète, font remonter leur lignée sans connotation chiite (tels les Hachémites jordaniens et les Alaouites – « alides » – marocains sunnites).

Allah

Pour l'islam, *Allah* est l'appellation « véridique » du Dieu unique, omniscient, créateur et incréé. C'est aussi la contraction de *al ilah*, la « divinité » par excellence dans l'Arabie* antique que l'on révérait à La Mecque*.

Son unicité est affirmée dès le premier pilier* de l'islam, la « profession de foi » (*chahada*) : « J'atteste qu'il n'y a pas d'autre divinité que Dieu et que Mahomet est l'envoyé de Dieu. » Sa

Portrait d'Ali, Pakistan.

Sur le mur, à droite, une calligraphie d'*Allah*. Yémen, Sanaa.

École coranique, île Maurice.

toute-puissance est rappelée à l'envi, car, « Seigneur des mondes » et maître des destinées, il tranche entre les élus et les damnés lors du Jugement dernier, un des thèmes majeurs du Coran*.
Son apparition s'est faite à partir de la parole, de l'ordre ou du souffle, les prophètes* ayant aussi reçu sa lumière. Transcendant, « irreprésentable » et « seulement visible à Lui-même », Allah est dépeint dans le Coran comme « assis sur un trône », doté d'« une main », d'« un visage », faisant « descendre » le Coran sur Mahomet*, autant de symboles débattus par des « anthropomorphistes » (considérés comme hérétiques) qui prirent ces expressions au pied de la lettre. Ses « beaux noms » – 99 selon la Tradition – sont répartis entre « noms de l'essence » et « noms de qualités ». Allah est ainsi dit tout-puissant (*aziz*), généreux (*karim*), miséricordieux (*rahman*), sage (*hakim*), savant (*alim*), qualificatifs qui sont à l'origine de nombreux prénoms arabo-musulmans courants, souvent précédés de *abd*, « serviteur de ». Notons qu'au Moyen-Orient les fidèles arabophones des Églises orientales emploient « Allah » pour désigner Dieu.

ARABE
La langue sacrée

L'arabe est paré par les musulmans d'une aura sacrée car il a été « donné » par Allah* à Adam ; c'est aussi en arabe que le Coran* est « descendu » – selon ses propres termes – sur Mahomet*. Après sa mise en forme définitive sous les Abbassides*, l'arabe fut le vecteur de la culture pendant plusieurs siècles dans toute l'aire musulmane. Son rôle se cantonna ensuite plus particulièrement au domaine religieux. Ainsi, sous les Ottomans*, l'arabe, langue du sacré, côtoya le persan*, langue des belles-lettres, et le turc, langue de l'administration.
L'arabe est la langue sémitique la plus récemment apparue. C'est aujourd'hui l'idiome de 200 millions d'arabophones, et certains peuples musulmans non sémitiques ont conservé son alphabet (Iraniens, Pakistanais, Indiens musulmans). En outre, une part importante de son lexique, pas seulement religieux, imprègne des langues comme le persan, le turc, l'ourdou, le malais, le swahili, etc. L'arabe appartient à la même famille que certaines langues antiques disparues comme l'akkadien (Mésopotamie), l'ougaritique (Syrie), le cananéen (Palestine), le phénicien (Liban) et le sudarabique (Yémen), ainsi que quelques langues vivantes comme l'hébreu et l'amharique (Éthiopie).
Lingua franca du Moyen-Orient à partir des Perses achéménides (VIIe s. av. J.-C.), l'araméen (dont un vestige, le syriaque, demeure la langue liturgique de certains chrétiens d'Orient) joua un rôle majeur dans l'élaboration de l'écriture hébraïque et de celle des Nabatéens arabisés (Pétra). Les premiers « écrits » arabes prirent la forme de graffitis en Palestine et au Sinaï, entre le IIe siècle av. J.-C. et le VIe siècle, puis de « textes » au Hedjaz et en Syrie (IIIe-IVe s.), avant qu'un véritable alphabet arabe existe et se répande notamment à La Mecque* où s'élabora une synthèse entre la poésie orale locale et le parler des marchands.

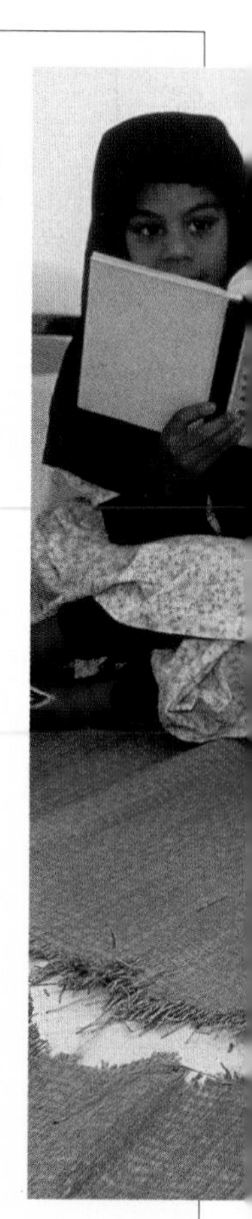

Arabesque

L'élément ornemental abstrait de l'arabesque en est venu, par sa simple appellation, à résumer la forme artistique majeure d'une civilisation islamique réputée opposée à l'image* (phénomène résumé sous le nom d'« aniconisme »). L'arabesque est d'abord un héritage de l'art hellénistique transmis par Byzance*, mais certains de ses thèmes, tels les polygones étoilés et les rosaces, remontent à la Mésopotamie et à la Perse sassanide. D'origine exclusivement végétale, elle couvre une surface sur laquelle est appliquée une tige avec des feuilles ou des fleurs qui se développent dans un mouvement rythmique harmonieux d'entrelacs et de divisions successives dénotant une nette tendance à la stylisation, sinon à l'abstraction. Après ses débuts sous les premiers Omeyyades*, l'arabesque s'est épanouie dès les IXe-Xe siècles dans l'Orient et l'Occident musulmans, dans la Bagdad* abbasside* et dans le décor des mosquées* fatimides* du Caire. Elle est également présente dans l'art du métal incrusté mamelouk ou dans les corans* des Nasrides, la dernière dynastie musulmane d'Espagne. Utilisée dans les arts du livre*, dans la céramique et dans l'architecture*, y compris religieuse, elle offre une gamme de formes adaptées à tous les supports, formats et techniques. Elle peut aussi se combiner avec la calligraphie*, la géométrie et la représentation figurée animale ou humaine.

Mosquée du sultan Ahmed, dite mosquée Bleue, Istanbul, début du XVIIe siècle.

ARABIE ANTIQUE
« L'ère de l'ignorance »

Dans l'Arabie préislamique – l'« ère de l'ignorance » (*jahiliyya*) close par la révélation du Coran* –, les Arabes, majoritairement nomades, pratiquaient des cultes nés d'un substrat sémitique commun influencé par les traditions syro-palestiniennes ou par la cosmologie mésopotamienne. Dès le Ier millénaire avant notre ère, les puissantes cités-États sédentaires himyarites de l'« Arabie heureuse » (Yémen) possédaient leurs propres alphabets et rendaient des cultes dans des temples monumentaux, dirigés un temps, semble-t-il, par des rois-prêtres. Plus primitive chez les Arabes (bédouins et sédentaires) des oasis du nord et du centre, la religion prit d'abord une forme totémique – adoration des arbres, des plantes, des sources et des pierres levées (bétyles) –, à laquelle s'ajoutait une croyance en des esprits malins (djinns). On y révérait cependant, comme au sud, des divinités astrales, maîtresses du des-

Mahomet arrive à La Mecque et fait briser toutes les idoles de la Kaaba. Miniature extraite de l'*Histoire merveilleuse en vers de Mahomet.* Paris, BNF, Mss or., Suppl. persan 1030 (f. 305v°-306).

tin humain. Le panthéon arabe, composé de plusieurs dizaines de divinités des deux sexes, semble avoir été dominé au sud par une triade : Athar, le dieu des Étoiles, Qamar la Lune et Shams le Soleil (*qamar* et *shams* signifient toujours « lune » et « soleil » en arabe*). À La Mecque*, la Kaaba* réunissait une sorte de panthéon arabe où l'on révérait tout particulièrement Hubal, le dieu de la Lune, Ozza (la « très puissante »), l'étoile du matin, et Manat, la déesse du sort humain, ces deux dernières déesses étant dominées par Al-Lat (al-Ilah), la « divinité » par excellence (voir Allah). Par ailleurs, les Arabes avaient une idée du monothéisme par le biais de tribus judaïsées au Hedjaz (autour de la future Médine) mais aussi du christianisme*, des Arabes au service de Byzance* s'étant convertis et des communautés chrétiennes existant en Arabie du Sud (comme à Najran). Mahomet* fit briser les idoles de la Kaaba en 630, faisant du pèlerinage* monothéiste à La Mecque un des cinq piliers* de l'islam.

ARCHITECTURE
Le véhicule du sacré

Pour l'Islam, civilisation urbaine par excellence, l'architecture constitue la forme suprême de l'art visuel. Elle se caractérise par l'érection d'édifices répondant à un nombre accru de fonctions religieuses et sociales. L'islam est apparu au Hedjaz, une région dépourvue de traditions architecturales. Le premier édifice musulman à proprement parler est la mosquée* du vendredi*, un simple auvent soutenu par des troncs de palmiers, installé au sein même de la demeure du Prophète, à Médine.

La première expansion musulmane joua alors un rôle capital en mettant les Arabes en contact avec des traditions architecturales riches et diverses, notamment byzantines et perses sassanides. À partir du Xe siècle, la fragmentation de l'Empire abbasside* et l'apparition de dynasties turques iranisées – les Seldjoukides* en premier lieu – revivifièrent des techniques locales comme l'emploi de la brique, cuite ou crue, l'élévation de voûtes complexes et, surtout, dans l'architecture civile et religieuse (palais, mosquées, madrasas), la réintroduction de l'iwan, l'arc brisé persan d'origine sassanide. On assista également à la multiplication des mausolées* religieux ou dynastiques sous les Ayyubides et les Mamelouks, puis, dans l'Inde moghole*, au développement de l'architecture civile : palais, caravansérails, hôpitaux, hammams… L'architecture militaire se développa à partir du Xe siècle, lorsque apparut le principe de la casbah – citadelle militaire et gouvernementale au centre de la ville « civile » (médina) – dont Alep, en Syrie, offre un extraordinaire exemple. L'architecte ottoman* Sinan (mort en 1588), peut-être le plus grand de l'Islam, est crédité de 477 constructions dont 196 sont encore debout…

La Demeure du Prophète, à Médine. Gravure extraite de Leacroft, *The Buildings of Early Islam.*

Bagdad

C'est al-Mansur, deuxième calife* abbasside*, qui fonda Bagdad sur la rive occidentale du Tigre. Achevée en 762, cette « ville de la paix » (Madinat as-Salam) organisée en cercles concentriques mesurait 2,6 km de diamètre et était reliée par quatre avenues à une double enceinte percée de quatre portes d'où partaient les routes vers l'Iran, la Syrie et le bas Irak. Au centre, un troisième mur lourdement fortifié délimitait un immense espace vert où se trouvaient la Grande Mosquée*, le palais califal et des services administratifs, signe de l'éloignement croissant des califes vis-à-vis de leurs sujets. Faute de pouvoir s'étendre, la ville se développa sur la rive orientale du Tigre. En dehors des troubles politiques de 836-892, pendant lesquels la cour et

Arcs de la mosquée de Tinmel (Maroc), 1153-1154.

l'armée furent transférées à Samarra (à 100 km au nord-ouest), Bagdad fut une ville aux industries variées où convergeaient artisans et artistes encouragés par les califes à élaborer un art impérial de luxe. La vie intellectuelle y atteignit des sommets grâce à la création d'académies-bibliothèques* et de madrasas (voir Universités), et ses hôpitaux furent le creuset d'une médecine « arabe », la meilleure de l'époque. En outre, toutes ces avancées bénéficiaient de l'universalité de la langue arabe*. En 1258, les Mongols* rasèrent la ville et massacrèrent ses habitants.

Bibliothèque

Fondée sur le Coran*, la civilisation islamique connut un prodigieux essor de l'écrit et des arts du livre* grâce au mécénat califal, princier ou particulier. De l'Andalousie à l'Inde, les bibliothèques publiques étaient liées à des établissements d'enseignement ou de recherche : mosquées*, madrasas, hôpitaux, observatoires. C'est dans la Bagdad* abbasside* qu'apparurent, aux IXe-Xe siècles, des sortes de bibliothèques-universités* où étaient traduits les manuscrits philosophiques, scientifiques* et astronomiques grecs – en partie achetés à Byzance* –, ainsi que perses, syriaques et sanscrits. Au Caire, les Fatimides* créèrent la « Maison de la science », un centre de propagande chiite* qui réunissait également tous les savoirs de l'époque dans quarante salles couvertes de

Une bibliothèque à Bassora. Miniature extraite des *Séances* d'al-Hariri, Bagdad, 1236. Paris, BNF, Mss or., Arabe 5847 (f. 5v°).

livres. À Chiraz, en Perse, la bibliothèque dirigée par le calligraphe* Ibn al-Bawwab (XIe s.) passait pour contenir un exemplaire de tous les livres écrits jusqu'à son époque... Au Xe siècle, les Omeyyades* d'Espagne acquirent des manuscrits en Orient et à Byzance : la bibliothèque de Cordoue aurait ainsi renfermé 400 000 volumes ! Malgré la réaction antirationaliste qui apparut à partir du XIe siècle, l'Iran et l'Asie centrale poursuivirent cet effort sous les dynasties post-mongoles (XIIIe-XVIe s.). C'est peu après la prise de Constantinople (1453) que les sultans* ottomans commencèrent à réunir la fabuleuse bibliothèque de Topkapi. En Inde moghole*, la bibliophilie et les arts du livre atteignirent des sommets. Mais la plupart de ces établissements furent engloutis par les guerres et les invasions, sans oublier les autodafés.

Byzance

À partir du Ve siècle avant notre ère, bien avant l'avènement de l'islam, un flot continu d'immigrants de la péninsule Arabique se sédentarisèrent au Proche-Orient. Par la suite, autant pour

contenir la pression des tribus arabes que pour résister à l'ennemi perse sassanide, les Byzantins favorisèrent à leurs frontières la création d'États tampons arabes ayant adopté le christianisme*. Celui des Lakhmides (328-622) surveillait le désert syrien à partir de al-Hirah (Irak), avant de se ranger dans le camp de la Perse lorsque le nestorianisme fut persécuté par Byzance.
De leur côté, les Ghassanides, venus d'Arabie du Sud et chrétiens monophysites, virent leur souverain honoré par l'empereur byzantin Justinien. À l'avènement de l'islam, Byzance demeurait l'État le plus puissant du Moyen-Orient, les Perses ayant été balayés par la première expansion musulmane. D'après la Tradition, Mahomet* aurait enjoint par lettre au basileus Héraclius de se convertir. Pour les musulmans, Byzance, baptisée Constantinople en l'honneur de l'empereur romain Constantin Ier, représentait un objectif symbolique, politique et économique majeur (centre du commerce international avec l'Europe nordique, Venise et le monde slave) et ses fastes furent décrits

Les Troupes turques à l'assaut de Constantinople. Fresque, 1537, monastère de Moldovita (Roumanie).

par les ambassadeurs arabes. Les Omeyyades* assiégèrent la ville en plusieurs vagues (668-718), dont deux par mer. Selon une pieuse légende, Ayyub (Eyüp en turc), un vieux compagnon de Mahomet*, aurait trouvé la mort lors d'un de ces raids, événement qui devait galvaniser les Turcs en 1453 lors du siège final de la ville, rebaptisée alors Istanbul (du grec *Eis tin polin*, « vers la ville »). Les sultans* ottomans* furent par la suite investis de l'épée d'Osman dans la mosquée* d'Eyüp, sur la Corne d'Or à Istanbul.

Calendrier. Voir Hégire

Calife

Dans le Coran (II, 30), Allah* annonce qu'il va « établir un lieutenant sur la terre », se référant ainsi à Adam comme au « vice-roi » ou « successeur » (*khalifa*) de Dieu. Le titre était théoriquement dévolu au plus méritant de la communauté, si bien que des Traditions (*hadith*) réservaient le califat aux Qoraychites, membres de la tribu de Mahomet*. Ce dernier étant mort sans descendant mâle et sans laisser de directives sur sa succession, les quatre califes « bien guidés » (*rachidun*) furent cooptés à Médine par leurs pairs. En 750, après l'assassinat d'Ali*, à l'origine du chiisme* (qui ne reconnaît pas les trois premiers califes), puis l'instauration de la dynastie califale héréditaire omeyyade*, les Abbassides* revendiquèrent l'ascendance du Prophète pour instaurer un régime politico-religieux, garant charismatique des intérêts de l'islam. « Commandeur des croyants » et pontife suprême, le calife ne peut cependant modifier la doctrine religieuse (à la différence de l'imam* chiite) ni la charia*. Après l'apparition de deux califats rivaux (Xe s.), le calife de Bagdad* se proclama « calife de Dieu » – une hérésie aux yeux des juristes –, mais son pouvoir temporel lui fut confisqué en 1055 par les Turcs seldjoukides* autoproclamés sultans* (« détenteurs de l'autorité gouvernementale » en arabe). Après l'anéantissement du califat abbasside par les Mongols* en 1258, les juristes s'interrogèrent sur le décalage entre pouvoir sultanien et autorité califale nominale. À partir du XVIe siècle, les sultans ottomans* assumèrent *de facto* la fonction en tant que garants de l'orthodoxie sunnite et dirigeants du plus puissant État musulman du monde. Mustafa Kemal, président laïque de la nouvelle république turque, abolit le califat en 1924, deux ans à peine après le sultanat.

Le Dernier des califes abbassides, Mustasim. Gouache extraite d'une copie de l'*Histoire* de Hafiz-i Abru, Hérat (Iran), v. 1425. Coll. part.

La mosquée Süleymaniye, Istanbul.

CALLIGRAPHIE

Recueil de prières soufi, Maroc, 1828-1829. Calligraphie *maghribi*.
Rabat, Bibliothèque royale.

Page du Coran, Égypte, XIIIe-XIVe siècle. Calligraphie *naskhi*.
New York, Metropolitan Museum of Art.

Dans le monde islamique, la calligraphie représente le deuxième art après l'architecture*. Omniprésente pour glorifier le message d'Allah*, elle est utilisée comme décoration épigraphique sur – et dans – les mosquées* et les madrasas (voir Universités). Mais c'est aussi un élément majeur des arts du livre* car elle a été portée par les lettrés à un rang inégalable en raison du caractère sacré de l'arabe*, langue du Coran*. C'est d'ailleurs à partir de la copie de corans que la calligraphie s'est développée, et cela à partir de deux formes originelles de la graphie arabe, le coufique (de la ville de Kufa, en Irak), raide et anguleux, associé aux Omeyyades*, et le *naskhi*, plus rond et fluide.

C'est sous les Abbassides* que la calligraphie devint un art majeur : on en dénombrait plus de vingt formes à la fin du IXe siècle. Peu à peu, ces formes se réduisirent à six « écritures proportionnées », qui furent soumises à des règles géométriques rigoureuses par le grand calligraphe Ibn Muqla (mort en 940) puis raffinées par Ibn al-Bawwab (mort en 1022). Ces six styles canoniques, qui ont survécu jusqu'à nos jours, profitèrent de la diffusion du papier en terre d'Islam. Les quatre premiers sont liés à la religion :

naskhi pour la copie des manuscrits et des petits corans, *thuluth* (« un tiers ») pour les têtes de chapitres des corans et les inscriptions architecturales, *mohaqqaq* et *rayhani* pour les grands corans, tandis que le *riqa* et le *tawqi* (ou *diwani*), plus fluides, sont réservés aux documents des chancelleries (*diwan*).

Au XIe siècle, le Maghreb développa un style calligraphique propre, le *maghribi* (« occidental »), auquel la délicatesse de ses lignes et la fluidité de ses courbes assurèrent une longévité exceptionnelle. Son usage se répandit en Afrique occidentale, puis en Andalousie dans sa variante *andalousi*. Au XVIe siècle, sous les Safavides, l'« art du bien écrire » connut un important développement lorsque les Persans* adoptèrent deux nouveaux types de calligraphie qui s'identifiaient à eux, le *taaliq* (« écriture suspendue »), avec sa forme plus élégante du *nastaaliq*, et le *shikasteh* (« forme brisée »), des formes qui essaimèrent dans l'Empire moghol* et chez les Ottomans*.

La calligraphie est toujours pratiquée dans le monde musulman, qu'il s'agisse d'un acte religieux (copie d'un ou de plusieurs corans), d'une aide à la méditation ou, tout simplement, d'un passe-temps artistique.

Charia

La charia, la « voie à suivre », regroupe les prescriptions et interdits islamiques relatifs à l'ensemble des activités de l'homme en société et fournit les bases du droit pénal, civil et commercial. Sa partie proprement juridique (*fiqh*) a été élaborée par les quatre écoles* juridiques sunnites (90 % des musulmans dans le monde). Les chiites* possèdent quant à eux leurs propres écoles et suivent les prescriptions de leur imam*.
L'islam étant une religion éminemment sociale, toute activité humaine doit théoriquement entrer dans cinq catégories juridiques prédéfinies qui vont du strictement « interdit » (*haram*) au « permis » en passant par ce qui est « recommandé », « neutre » et « non prohibé, mais déconseillé ».
Avec l'expansion de l'islam, la charia s'est parfois trouvée limitée par des coutumes préexistantes (*adat*), notamment en Asie du Sud-Est, en Afrique noire et dans le monde berbère. Depuis le XIXe siècle et plus encore au XXe, elle cohabite dans certains domaines de la vie moderne avec des législations laïques calquées sur celles du monde occidental.
Elle demeure la base du droit dans les pays tels que l'Arabie Saoudite, l'Iran ou l'Afghanistan, et le retour à sa stricte application est une revendication majeure des groupes islamistes actuels.

CHIISME : LE PARTI D'ALI

Cette branche de l'islam trouve son origine historique dans le « parti d'Ali* » (en arabe* *chiat Ali*, d'où le vocable « chiite »). Si les sunnites « orthodoxes » (90 % des musulmans) n'ont jamais « excommunié » les chiites (10 % des musulmans), des divergences doctrinales majeures les séparent, comme par exemple le culte voué à leurs douze imams*, les qualificatifs d'« imamite » et de « duodécimain » (« des douze imams ») étant accolés à ce courant majoritaire en Iran. Inaugurée par Ali, la lignée de ces imams virtuellement considérés comme égaux du Prophète s'arrêta au IXe siècle avec l'« occultation » du douzième titulaire. Depuis lors, les chiites demeurent dans l'attente de l'avènement de l'« imam caché » et « Mahdi attendu » (le « bien guidé par Dieu »), le douzième imam qui reviendra instaurer la justice sur terre, tout pouvoir politique étant considéré jusque-là comme « illégitime ». Par ailleurs, le chiisme possède un « clergé » de mollahs (de *mawla*, « maître » en arabe) dont la haute hiérarchie des « moudjahidin infaillibles » joue le rôle d'intercesseurs entre Allah* et les hommes, et est habilitée à prendre des décisions théologiques canoniques (ce qui n'est pas le cas des oulémas sunnites). Enfin, les chiites tendent à rechercher systématiquement un « sens caché » dans les textes sacrés de l'islam par le biais d'une gnose ésotérique marquée par le manichéisme iranien préislamique. Outre La Mecque*, les chiites possèdent leurs propres pèlerinages* : en Irak, à Kerbela, ville où Hossein trouva la mort, et à Nadjaf où son père Ali fut assassiné ; en Iran oriental, au tombeau du huitième imam, à Meched. En Perse, à partir de 1501, le chiisme est devenu religion d'État ; au XIXe siècle, les ayatollahs (littéralement « signes de Dieu ») prirent la tête doctrinale et politique de la hiérarchie religieuse, une évolution qui culminera avec l'instauration de la République islamique en Iran (1979).

Christianisme

À l'époque de Mahomet*, les puissances limitrophes du Hedjaz étaient la Perse et Byzance*, dont l'alliée éthiopienne christianisée, de l'autre côté de la mer Rouge, accueillit un groupe de musulmans envoyés par le Prophète lors des persécutions à La Mecque*. D'après une pieuse légende, le jeune Mahomet, emmené par son oncle caravanier, aurait vu sa dimension prophétique reconnue à Bosra (Syrie) par le moine révéré Bahira. Mais le Coran* est venu « rétablir » et « sceller » les Évangiles et la Bible qui avaient « dénaturé » le message monothéiste d'Abraham*. Certains points fondamentaux du christianisme sont en effet inadmissibles aux yeux des musulmans. Si Jésus (Issa) est le prophète* d'un message sacré majeur (Évangiles), il est soumis à Dieu comme tous les autres prophètes et ne peut être le « fils » de Dieu, lequel, par essence immatériel, ne peut engendrer une incarnation de lui-même.

Concernant la crucifixion, le Coran laisse entendre qu'elle fut une « illusion », un autre homme ayant été subtilisé à Jésus au dernier moment. Les sunnites récusent le rôle d'intercesseur entre Dieu et les hommes joué par Jésus (ou par les imams* chiites*), et sa dimension de messie est minorée, certaines Traditions (*hadith*) lui concédant toutefois celle d'opposant à l'Antéchrist de la fin des temps (*Dajjal*).

Manifestation des membres du Hezbollah (« Parti d'Allah »), Téhéran (Iran).

Plus étranger encore à l'islam est le dogme de la Trinité, assimilé au péché majeur, celui de l'associationnisme polythéiste. La maternité miraculeuse de la Vierge Marie (Maryam), l'unique femme qui donne son nom à une sourate du Coran, ne pose pas de problème majeur – la naissance d'Adam sans père est également rappelée –, mais sa qualité de « mère de Dieu » est aussi irrecevable que la « filiation » de Jésus à Dieu.

Circoncision

La circoncision (en arabe* *khitan* ou *tahara*, « purification ») est l'ablation du prépuce de l'enfant mâle, effectuée entre 3 et 7 ans. L'opération est pratiquée par les barbiers ou les chirurgiens et est suivie par la distribution de cadeaux. En réalité, il s'agit davantage d'une coutume (les Turcs l'appellent *sünnet*, de *sunna*, « usage » en arabe), d'un rite initiatique, que d'une obligation canonique : le

L'Annonciation, XVe siècle. Paris, BNF, Mss or., Arabe.

Coran* ne la mentionne pas, mais l'école* juridique chafiite la juge « obligatoire » et les trois autres écoles la « recommandent fortement ». La circoncision est attestée depuis l'époque pharaonique (les chrétiens coptes d'Éthiopie et d'Égypte en perpétuèrent l'usage) et en Arabie préislamique. Obligation religieuse chez les Hébreux car elle scelle leur « alliance » avec Dieu, la circoncision se situe chez les musulmans dans le droit fil du message d'Abraham*, père des Sémites, et plus particulièrement des Arabes du Nord par Ismaïl.

Équivalent symbolique de la circoncision, l'excision des filles est largement pratiquée en Afrique et en Égypte. Cette mutilation n'est pas recommandée par l'islam : elle aurait même été fermement condamnée par Mahomet* et n'est « justifiée » que par des *hadith* d'une authenticité contestable.

Commentaires

Issus des Traditions (*hadith*) et des sciences juridiques, les commentaires du Coran* (en arabe* *tafsir*, « élucidation ») figurent parmi les disciplines religieuses les plus importantes de l'islam. Ils furent inaugurés par Ibn al-Abbas, cousin de Mahomet*, peut-être influencé par la Haggadah juive par le biais de juifs convertis à l'islam.

Moins qu'une exégèse au sens moderne du terme – impraticable car le Coran, « incréé » et « infaillible », est directement « descendu » sur le Prophète –, les commentaires interprètent et explicitent en continu, phrase par phrase et même mot à mot, certains points de théologie, de droit ou des allusions du texte sacré.

Ce travail s'appuie sur des « chaînes d'autorité » (*isnad*) transmettant les actes et les paroles du Prophète tels que les ont vérifiés des prédécesseurs dignes de foi, enrichissant à leur

Fakhr al-Din al-Razi, page de son *Commentaire du Coran*, Maroc, 1169. Rabat, Bibliothèque royale.

Danse mystique dans une confrérie égyptienne, Le Caire.

tour le corpus par leur contribution. Parmi les plus grands de ces commentateurs, on peut citer notamment al-Tabari (Xe siècle), Zamakhshari et Fakhr al-Din al-Razi (XIIe s.), ainsi que Baydhawi (XIIIe s.) et Souyouti (XVe s.).
Toujours vivante, cette discipline offre aujourd'hui un immense corpus pour connaître l'évolution de la théologie, du droit musulman et de la philologie arabe. Il existe une autre forme de commentaire, le *tawil*, qui s'attache au contenu même du Coran sous un angle allégorique et mystique. Il est pratiqué par des écoles moins orthodoxes ou ésotériques, soufies* ou chiites*, peut-être influencées par la philosophie hellénistique alexandrine et le manichéisme iranien.

Confréries

Le soufisme* a joué un rôle important dans le développement de la dévotion populaire et des confréries religieuses (*tariqa*). Ces dernières étaient placées sous l'autorité de cheikhs (maîtres spirituels) dont les disciples, les derviches, vivaient dans des « couvents » (*zawiya* en arabe*, *khanqah* en persan*, *tekké* en turc) ou bien menaient une vie errante, voire « normale », à l'extérieur. Liée aussi bien au culte populaire des saints (maraboutisme*) qu'à une forme philosophico-religieuse élaborée et nourrie de divers emprunts locaux, chaque confrérie soufie fait remonter son autorité au prophète Mahomet* par l'intermédiaire d'une « chaîne » de transmission (*silsila*).

De nos jours, de nombreuses confréries sont toujours actives dans le monde musulman et touchent tous les milieux. Parmi les principales, citons la Qadiriya fondée en Irak par Abd al-Qadir al-Jilani (XIIe s.), présente de l'Afrique occidentale à l'Irak, l'Ahmadiya de Mirza Ghulam Ahmad (fin du XVIIIe s.), très influente en Inde, et la Naqchbandiya créée par Naqchband (XIVe s.), active en Asie centrale et en Inde. La Sanusiya, due à Muhammad ibn Ali al-Sanusi, est implantée en Libye, tandis que la Tijaniya d'Ahmad al-Tijani (mort en 1815) est centrée sur le Maghreb et l'Afrique occidentale. La Mawlawiya, créée par le grand poète mystique Jalal al-Din Rumi (XIIIe s.) – ses membres, les « derviches tourneurs », atteignent l'extase en tournant sur eux-mêmes –, est influente en Turquie, de même que sa rivale, la Bektachiya d'Hajji Bektach (XIVe s.). En Perse, c'est la confrérie chiite* de la Safaviya turkmène qui porta la dynastie safavide au pouvoir (1501).

CONVERSION
Entre conviction et opportunisme

Pour tout individu majeur, quel que soit son sexe ou son origine ethnique, la formulation devant deux témoins – hors de toute contrainte physique ou morale – de la profession de foi (*chahada*) prononcée en état d'ablution* majeure est suffisante pour entrer dans la communauté islamique (*umma*). Cette démarche peut être renforcée par une formation doctrinale et des applications concrètes, comme l'observance des cinq piliers*. L'apostasie de l'islam est cependant punie de mort. La contrainte fut fréquemment appliquée au cours des siècles lors de l'expansion de l'islam ou sous couvert du djihad* contre les « incroyants » (*kuffar*) polythéistes. Si l'adhésion à l'islam fut massivement dictée par la conviction religieuse, l'opportunisme joua également. Ce fut le cas au Proche-Orient pour certains chrétiens schismatiques persécutés par Byzance*, ou en Inde pour tenter d'échapper au système des castes. Dès le début des conquêtes, les « gens du Livre » (*ahl al-Kitab*) ou « protégés » (*dhimmis*) – juifs, chrétiens et zoroastriens monothéistes – jouirent d'un statut juridique spécial mais infériorisant (dans un litige les opposant à un musulman, le droit musulman primait). Ils devaient, en outre, acquitter un impôt de capitation (*jizya*) et un impôt foncier spécial. Ce statut fluctua souvent selon les vicissitudes historiques, en particulier lorsque l'État musulman se trouvait menacé. En acceptant la domination de l'islam, les dhimmis conservaient l'exercice de leur religion et de leurs droits privés (commerce, mariage, héritage). Interdits de port d'armes, ils étaient régis par le système du *milla* (en turc *millet*, « nation religieuse ») administré par leur chef spirituel (évêque, grand rabbin ou patriarche). Le statut de dhimmi fut officiellement abrogé en 1923. Avant tout implanté en Asie et en Afrique, l'islam est investi, comme le christianisme*, d'une vocation universelle. Rassemblant aujourd'hui un milliard de croyants, il poursuit sa diffusion dans le monde par les conversions.

Musulman en prière, Pékin (Chine).

■ CORAN

Le Coran (en arabe *al-Quran*, de *qaraa*, « lire ») est le Livre* par excellence de tous les musulmans et le chef-d'œuvre inégalé de la langue arabe*. Source primordiale de la loi religieuse, la charia*, il célèbre la « soumission à Dieu » (c'est le sens même du mot *islam*) et son unicité, ainsi que la mission prophétique de Mahomet*. Venant « sceller » définitivement une révélation « falsifiée » par le judaïsme* et le christianisme*, cette ultime parole d'Allah* à tous les hommes est directement « descendue » (c'est le terme littéral) en arabe sur un simple mortel, Mahomet, par l'intermédiaire de l'ange Gabriel (Jibraïl) et au profit des Arabes, les seuls Sémites ne possédant en propre ni prophète* ni livre sacré.

Le Coran n'est pas une suite d'écrits transmis dans le temps comme l'Ancien Testament, ni un récit transcrit après coup comme les Évangiles. C'est une parole unique donnée à un homme unique. Radicalement nouvelle dans le contexte du paganisme arabe, l'explication coranique du monde dénote cependant chez le Prophète une connaissance des croyances des chrétiens et des juifs arabophones présents en Arabie*, comme en témoignent les mentions d'Adam, de Satan, du Jugement dernier et des prophètes bibliques. Elle puise en même temps dans le substrat local : « prophètes » arabes précurseurs, génies (djinns), Kaaba*, etc.

Le Coran est composé de 114 sourates (chapitres) réunissant 6 219 versets de longueur très inégale. Dicté par le Prophète au jour le jour, il a été ensuite organisé selon un ordre chronologique arbitraire décroissant. Il a été révélé sur les deux périodes de l'apostolat de Mahomet (611-632) : celle de La Mecque* présente un caractère visionnaire, celle de Médine contient plus de prescriptions juridiques, reflet de la condamnation sans appel du polythéisme et de l'affirmation de sa mission politique. D'abord recueilli sur des *ostraca*, des feuilles de palmier ou même des omoplates de chameaux, le texte coranique fut stabilisé au VIIIe siècle. Il a depuis fait l'objet de nombreux et savants commentaires*.

Lecture du Coran dans une mosquée, Gaza.

Couleurs

Dans le monde musulman, les valeurs symboliques des couleurs furent en grande partie inspirées par les pratiques du Prophète ou par des coutumes locales.

Symbole de l'espoir, de la vie et du bonheur, le vert revêt une importance particulière au point d'être identifié à la « couleur de l'islam ». Le Coran* promet ainsi des vêtements de couleur verte aux élus du paradis*. Nombre de reliures du Coran sont également vertes, de même que la décoration en céramique ou les coupoles des marabouts* et des mosquées*.

Couleur de la Pierre noire de la Kaaba*, le noir commande le respect car le Prophète la porta. Elle fut aussi la couleur fétiche de la « révolution » des descendants d'Abbas en 750 (les Abbassides*). Mais pour les chiites, c'est le symbole du deuil infini d'Ali* et plus encore celui de son fils Hossein, tué à Kerbela. En Iran, le noir est la couleur de la cape des mollahs et du tchador, le voile* des femmes*.

Un *hadith* affirmant que « Dieu aime les vêtements blancs et a créé le paradis blanc », cette couleur est le symbole à la fois du linceul, de la « consécration » (*ihram*) pendant le pèlerinage* et de la vie, puisque tuniques et gandouras masculines sont blanches dans les pays musulmans les plus chauds (Golfe, Arabie, etc.).

Le rouge, très prisé dans l'Andalousie musulmane (VIIIe-XVe s.), demeure la couleur de la passion ainsi que celle des impulsions et du danger.

Couleur prestigieuse pour les Mauritaniens, les Touaregs et les Arabes du Sahel (les « Hommes bleus »), le bleu peut être perçu comme associé au « mauvais œil ». Enfin, le jaune (*safra* en arabe*) semble relativement peu prisé, car il est assimilé à la couardise, au luxe vestimentaire, voire au pouvoir royal...

Coutumes vestimentaires

L'islam ne fait pas véritablement de distinction entre vêtement religieux et vêtement profane. La manière de s'habiller suit l'exemple du Prophète. Dans une société qui est avant tout une « communauté », la morale musulmane accorde une place primordiale à la bienséance : pilosité, hygiène corporelle et vêtements sont codifiés aussi bien pour les femmes* que pour les hommes. Ces derniers sont eux aussi tenus de porter des vêtements amples et flottants, qui cachent le corps tout en facilitant les ablutions* et les gestes (inclinations et prosternations) de la prière.

Modelées selon les climats et les coutumes régionales – sans parler de l'influence occidentale « individualisante » –, les normes vestimentaires premières suivent celles des Arabes : *djellaba*, *dichdacha*, *kamiss* (tunique), couramment blanche, ou *abayya*, longue cape ouverte en laine ou en coton, souvent noire, parfois perçue comme le pendant du voile* féminin. Ces vêtements ne découvrent que le visage, les mains et les pieds.

La sobriété des couleurs* est recommandée, ainsi que celle des étoffes ; la soie, théoriquement réservée aux femmes chez elles, est considérée comme répugnante car elle provient des déjections d'une larve et signale une ostentation malséante. Par ailleurs, comme chez tous les Sémites, l'islam prescrit de se

Dichdacha et keffieh, Arabie Saoudite.

couvrir la tête en toute circonstance, en particulier à la mosquée*, par respect pour Dieu. C'est en général une calotte qui, entourée d'une pièce d'étoffe plus ou moins longue, devient un turban (de *tülbend* en persan* et en turc, « chèche » au Maghreb). Autre symbole « oriental », le port de la barbe jusqu'à la base du cou suit les injonctions du Prophète qui exhortait les croyants à l'arborer. Taillée et entretenue selon des normes définies, la barbe traduit désormais une marque de respectabilité, de maturité virile et même de piété (dans l'Iran « islamique » actuel, par exemple).

Double page précédente : Fête du Trône sur l'esplanade du Palais royal, Rabat (Maroc).

Croisades

Les croisades ne constituaient pas un « contre-djihad* », mais se présentaient plutôt comme des « pèlerinages armés » destinés à riposter contre la destruction du Saint-Sépulcre de Jérusalem* par les Fatimides* (1009). Elles tentaient, en outre, de soulager Byzance* de la pression seldjoukide*. Les croisés – ou les « Francs », si l'on se réfère au terme générique utilisé par les historiens musulmans – prirent Jérusalem, capitale du premier royaume latin (1099-1187), et fondèrent des principautés féodales sur le littoral méditerranéen. Cependant, en représailles au schisme entre Byzance et Rome (1054), la quatrième croisade fut « déviée » en 1204 contre Constantinople – dévastée et occupée jusqu'en 1261 –, affaiblissant considérablement les Byzantins face aux invasions turkmènes qui sévissaient en Anatolie. La survie franque dépendait des secours de l'Europe. Parallèlement, le Kurde Saladin renversa les Fatimides* (1171), fonda la dynastie des Ayyubides (Syrie-Égypte) et proclama le djihad contre les Francs. Il reprit Jérusalem en 1187. Grâce à un accord avec les Ayyubides et l'empereur d'Allemagne Frédéric II, les Francs reconstituèrent un deuxième « royaume de Jérusalem » (1229-1244), fragile et réduit. La cité demeurait cependant une « ville ouverte » où les musulmans pouvaient se recueillir sur l'esplanade d'al-Aqsa. Ce sont les Mamelouks qui, en 1291, mirent un terme à près de deux siècles de présence croisée en Orient. Notons que, tout en précarisant la situation des chrétiens orientaux autochtones, les croisades furent un événement essentiellement proche-oriental : elles passèrent presque inaperçues dans le reste du monde musulman confronté aux invasions turkmènes et mongoles à l'est, à la reconquête chrétienne de l'Espagne à l'ouest.

Djihad

Souvent traduit par « guerre sainte », *djihad* signifie en arabe* originellement « effort (contre

Le Roi devant la citadelle égyptienne de Mansoura. Miniature extraite de la *Vie et miracles de Saint Louis* de Guillaume de Saint-Pathus, v. 1330-1340. Paris, BNF, Mss, Fr. 5716 (f. 199).

Moudjahid
en prière,
Afghanistan.

ses passions) ». Cependant, ce terme ne figure pas dans les cinq piliers* de l'islam (dont il serait alors le sixième...). L'islam se considérant comme la religion de la Vérité valable pour toute l'espèce humaine, le djihad fut d'abord dirigé contre les Qoraychites polythéistes de La Mecque*, puis devint progressivement le moteur de l'expansion de l'islam ainsi que le prétexte à des guerres de conquête (en Inde, en Afrique, etc.).
La guerre sainte est officiellement justifiée s'il s'agit de défendre l'islam contre un grave danger extérieur, ou de propager cette religion chez les « incroyants ». Elle ne nécessite qu'un « nombre suffisant » d'adultes mâles (les moudjahidin, « combattants du djihad au nom d'Allah* »), y participant avec une chance raisonnable de succès. S'ils y trouvent la mort, ils peuvent accéder directement au paradis*. Selon la *sunna* (coutume du Prophète), le djihad est illicite s'il n'a pas été précédé d'une exhortation à la conversion* des incroyants (excepté les « gens du Livre »). Le processus doit être stoppé quand la menace a cessé ou que les non-musulmans ont été vaincus.
Bien que le Prophète ait interdit de répandre le sang d'autres musulmans, les mouvements intégristes islamistes actuels utilisent le djihad pour imposer leur ordre (en Afghanistan, au Pakistan et en Algérie notamment). Notons que, pour les chiites*, la guerre sainte est théoriquement illicite avant le retour de l'« imam* caché ».

ÉCOLES JURIDIQUES
Toutes « orthodoxes »

Le Coran* ne pouvant répondre à toutes les questions, les écoles juridiques (en arabe* *madhahib*, « directions », « rites ») ont eu pour tâche d'interpréter la charia*. Des concepts comme la « coutume » (en arabe *sunna*, d'où le terme « sunnite »), les « pratiques antérieures », le « principe d'« analogie » ou la « préférence personnelle » (*istihsan*) donnèrent ainsi un caractère rationnel et pragmatique à l'élaboration du droit. Ce dernier prônait aussi le recours au « consensus » (*ijmaa*) pour aplanir les divergences.

Nées aux VIIIe et IXe siècles, les quatre écoles sunnites se sont implantées dans le monde musulman selon des cheminements historiques et géographiques divers. S'il est obligatoire de s'affilier à l'une d'elles, les fidèles ont cependant la liberté de choisir celle qu'ils préfèrent, car elles sont toutes « orthodoxes ». Le malékisme, fondé en Arabie en 795 par Malik ibn Anas (l'auteur du plus ancien traité de droit musulman qui privilégie l'opinion personnelle), a des adeptes au Maghreb* et en Afrique occidentale. Le hanafisme, créé par l'Iranien Abu Hanifa (mort en 767), eut toujours les faveurs des musulmans non arabes : il est actuellement présent en Turquie et en Inde. Créé par l'Irakien Ibn Hanbal (mort en 858), le très rigoriste hanbalisme ne concerne pratiquement que les wahhabites d'Arabie Saoudite et du Qatar. Enfin, le chafiisme, fondé par al-Chafii (mort en 820 au Caire), est considéré comme l'inspirateur des principes du droit musulman grâce à une synthèse des différents aspects de la jurisprudence : on le trouve en Malaisie, en Indonésie, aux Philippines et, parallèlement au malékisme, en Égypte, au Caucase, au Proche-Orient.

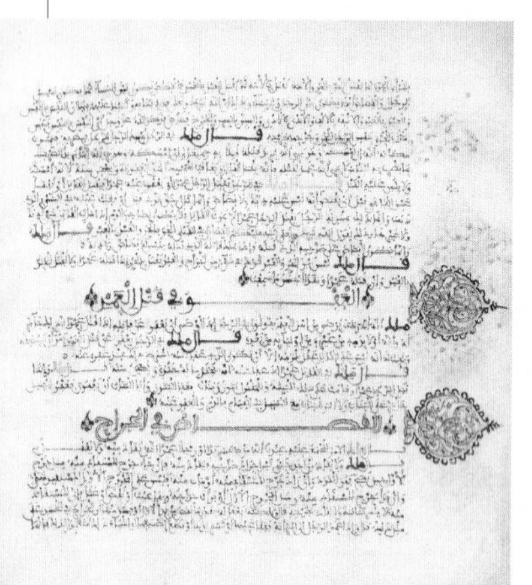

Alors qu'il existait à l'origine une vingtaine d'écoles juridiques, ces quatre écoles restantes ont figé l'islam sunnite aux XIe-XIIe siècles en fermant définitivement la possibilité de l'« interprétation personnelle » (*ijtihad*). Ce n'est pas le cas des écoles juridiques chiites*, plus ouvertes. Au Yémen, l'école zaydite chiite (« aux cinq imams* ») a gardé sa spécificité, de même que l'ibadisme en Oman, maintenant rapproché du sunnisme.

Malik ibn Anas, pages d'un *Traité de droit musulman*, Maroc, 1325-1326. Rabat, Bibliothèque royale.

Mosquée al-Azhar, Le Caire, Xe-XIIe siècle.

Fatimides

Lié au mouvement ismaïlien, une branche du chiisme* pour laquelle l'« imam* occulté » fut le septième, Ismaïl, le califat fatimide (909-1171) revendiqua l'ascendance de Fatima, épouse d'Ali* et fille de Mahomet*. Son fondateur, Ubayd Allah, proclamé Mahdi (« le bien guidé par Dieu » en arabe*), s'implanta d'abord au Maghreb avant de s'emparer de l'Égypte, en 969, où il édifia une nouvelle capitale, Le Caire (*al-Qahira*, « la Victorieuse »). À partir de là, le califat autoproclamé, rival de celui de Bagdad*, s'étendit sur la Syrie, la Palestine et sur les lieux saints du Hedjaz. Dynastie

Brodeuse à l'entrée d'un *ryad* (jardin intérieur), Fès (Maroc).

« schismatique » pour l'immense majorité de leurs sujets sunnites, les Fatimides envoyèrent à travers le monde musulman des missionnaires formés à l'université d'al-Azhar – créée par eux au Caire. Ce prosélytisme fut à l'origine des communautés ismaïliennes du Pakistan, de l'Inde (Agha Khan), du Yémen, de Syrie, ainsi que de la secte druze (Proche-Orient). Pratiquant des échanges commerciaux dans tout le monde islamique, et jusqu'à l'Inde et à l'Europe méditerranéenne, l'Égypte fatimide connut une vitalité économique et artistique qui éclipsa Bagdad. Mais le califat commença à décliner à la fin du XIIe siècle, les vizirs (ministres) assumant le pouvoir, alors que les califes* vivaient à l'ombre de leurs gardes prétoriennes. Sous al-Mustansir (XIe s.), le mouvement ismaïlien se scinda en deux groupes de partisans se réclamant chacun d'un de ses fils. Saladin, « champion du sunnisme », mit fin à la dynastie en 1171.

FEMME : ÉPOUSE ET MÈRE

Le paradis* islamique promet aux élus de sexe masculin la jouissance de vierges à satiété, mais reste flou sur les joies prévues pour les femmes élues… Même à la mosquée*, les femmes sont réduites à la portion congrue puisqu'elles y sont confinées dans des espaces réduits spéciaux et ne sont pas conviées à la prière collective du vendredi*. Le port du voile* – avec son corollaire, le gynécée (harem) – et les modalités du mariage fournissent quelques indices sur la condition des femmes dans le monde islamique. Une évolution de leur statut s'est cependant dessinée au XIXe siècle sous l'action des réformistes* en Égypte, en Inde et, plus encore, au XXe en Turquie. Aujourd'hui, des « féministes » recherchent la légitimation de leur révolte en remontant au Coran* et à la *sunna* (coutume), mais cette démarche, essentiellement citadine et touchant les milieux éduqués, est menacée par la montée de l'intégrisme islamiste qui prône la stricte application de la charia*. C'est le cas notamment en Arabie Saoudite, en Iran, au Pakistan et en Afghanistan.
D'une manière générale, la situation sociale de la femme n'a pas évolué significativement dans les faits. Selon un *hadith* attribué au Prophète*, le mariage – de préférence fécond – est « la moitié de la religion ». « Vos femmes sont comme un champ de labour », précise le Coran*. Qualifié d'« ignoble » par la *sunna*, le célibat en général, et celui des femmes en particulier, est vu comme

une honte, sinon comme une incitation à la débauche. La croyante est théoriquement considérée sur le même plan que le croyant, mais sa situation la relègue pratiquement à l'état de mineure, passant de la tutelle de sa famille à celle de son mari (et de la famille de celui-ci). Si l'assentiment de la future épouse est normalement requis devant un notaire ou un cadi, une jeune fille nubile peut être représentée par un « tuteur » mâle de la famille. Encouragée par le Coran, la polygamie – à concurrence de trois épouses supplémentaires, concubines non comprises – accentue d'autant le risque de répudiation unilatérale sur une unique formule prononcée par le mari, lequel récupère généralement ses enfants lorsqu'ils atteignent l'âge de 7 ans. Le divorce « civil » à l'initiative de la femme fait cependant son chemin dans les États modernes (Égypte, Maroc, Iran « islamique » même). La Tunisie, qui avait déjà interdit la polygamie dès 1956, s'est montrée pionnière en la matière. Sur le plan juridique, les femmes peuvent gérer leurs biens mais l'inégalité est flagrante en matière de témoignage – qui vaut la moitié de celui d'un homme – et d'héritage, leur part étant inférieure de moitié à celle d'un homme. Enfin, une chrétienne ou une juive peut épouser un musulman sans avoir besoin de se convertir, mais leurs enfants seront automatiquement musulmans ; pour les femmes d'autres confessions, la conversion* à l'islam est obligatoire.

La cérémonie de l'Achoura, Iran.

Fêtes

Les fêtes musulmanes sont déterminées d'après le calendrier hégirien*. Seules deux d'entre elles sont canoniques. La « fête du sacrifice » (*aïd al-adha*), ou « Grande Fête » (*aïd al-kebir*), est célébrée le mois du pèlerinage*, dernier mois de l'année musulmane : c'est une cérémonie familiale et heureuse qui commémore l'obéissance d'Abraham* prêt à sacrifier son fils Ismaïl à Dieu (un mouton est alors égorgé dans la direction de La Mecque*). La « fête de la rupture du jeûne (du ramadan* » (*aïd al-fitr*), ou « Petite Fête » (*aïd al-saghir*), est marquée par une prière collective spéciale accomplie par les hommes sur une aire découverte, et des aumônes sont distribuées (l'un des cinq piliers* de l'islam).

Le premier jour de muharram, premier mois du calendrier musulman, est chômé pour commémorer l'hégire du Prophète et signale le nouvel an sunnite. Le 10 du même mois, l'Achoura est une fête expiatoire inspirée par le jour du Grand Pardon juif et fertile en grâces (*barakat*). Pour les chiites*, c'est au contraire le point culminant de leur deuil collectif du martyre de l'imam* Hossein tué par les Omeyyades*, jour marqué par des mortifications publiques et par la représentation du « mystère de la passion » d'Hossein. Au début du printemps, la célébration de la naissance du Prophète (*mulud al-Nabi*) est la fête la plus populaire, animée notamment par les confréries* soufies*. La « nuit de la remise des péchés », qui fixe le destin de l'année à venir,

est marquée par d'intenses dévotions. La fête du Ghadir – le lieu où Mahomet* aurait promis sa succession à Ali* – est commémorée par les seuls chiites, de même que des événements liés à leurs imams. Enfin, le 21 mars, les peuples iraniens célèbrent le nouvel an solaire (*noruz*), de caractère profane.

Gens du Livre.
Voir Conversion

Guerre sainte.
Voir Djihad

Hégire
L'ère musulmane débute le 24 septembre 622 avec l'hégire (en arabe* *hijra*, « émigration ») de Mahomet* à Yathrib (la future Médine), un événement fondateur du premier État musulman que la chronologie de l'histoire islamique se devait de fixer. Cette date fut définitivement adoptée en 637 par le calife* Omar, de préférence à 570, à la fois année présumée de la naissance du Prophète et année d'une invasion ratée des Éthiopiens chrétiens contre La Mecque*. Comme la plupart des calendriers sémitiques, le calendrier hégirien est fondé sur les cycles de la Lune et comporte douze mois de 29 ou 30 jours ; l'année compte 354 ou 355 jours, soit 11 jours de moins que l'année solaire grégorienne. Les fêtes* religieuses avancent donc de 10 à 12 jours par an, le ramadan* et le pèlerinage* accomplissant une révolution complète du calendrier grégorien tous les 36 ans. Quant aux jours de la semaine, ils portent – comme dans le calendrier profane hébraïque moderne – un adjectif ordinal (*yum al-ahad*, « 1er jour », etc.), les deux seuls jours spécifiquement qualifiés étant le vendredi* (*jumaa*, « jour de la congrégation ») et le samedi (*sabt*, en référence au *shabbat* juif).
Le facteur religieux a joué un rôle déterminant dans le développement de l'astronomie, laquelle, avant de devenir une science* majeure de l'Islam, s'est attachée à déterminer le calendrier, les fêtes, l'heure et la direction de la prière (*qibla*) selon les méridiens. À partir du IXe siècle, des tables de régulation donnèrent la latitude de nombreuses villes musulmanes et, quatre siècles plus tard, la fonction d'« astronome de mosquée » fut créée. De nos jours, les calendriers hégirien et grégorien occidental coexistent, le premier étant réservé aux dates et événements religieux, le second à la vie profane.

IMAGE

L'islam, généralement associé à l'aniconisme, c'est-à-dire au rejet de la représentation des valeurs spirituelles par le biais de formes visuelles, n'a pourtant pas produit de doctrine sur les arts ni un iconoclasme systématique. Ce n'est qu'au IXe siècle, après que l'expansion de l'islam eut dévoilé aux musulmans les traditions artistiques de Byzance*, de la Perse sassanide et même du bouddhisme (en Asie centrale), lesquelles plaçaient la représentation humaine au centre du culte et des arts, qu'un *hadith* menaça de l'enfer les « façonneurs d'images ». Ceux-ci, bien qu'incapables d'insuffler la vie à leurs images, cherchaient à reproduire les êtres vivants à l'identique et « concurrençaient » donc Allah*, le créateur par excellence, sans associé ni intermédiaire. Tout ce qui pouvait favoriser l'idolâtrie fut dès lors absolument prohibé, notamment toute représentation d'êtres vivants en trois dimensions.
L'interdit ne s'appliquait pas à la calligraphie* dans ses variations stylistiques, ni à l'arabesque* et aux décors floraux, paysagers et géométriques, car ces formes véhiculent la Parole divine. Tous les édifices et monuments religieux furent rigoureusement préservés de représentations figurées. Cependant, dès le VIIIe siècle, murs et pavements des édifices civils omeyyades*, puis abbassides* et fatimides*, renfermèrent des scènes figurées, parfois même dénudées. Au Maghreb, des villas de campagne princières décorées subsistèrent jusqu'au XIe siècle, et une symbiose artistique islamo-chrétienne perdura notamment en Sicile. Pour les arts islamiques – textiles, céramique, arts du métal et du livre* –, il s'agissait d'exprimer sur une surface plane une « idée » stéréotypée, non individualisée, ni même proportionnée de la créature représentée – humaine ou animale –, sans volonté d'en restituer la réalité. Aux VIIIe-XIe siècles, la traduction de manuscrits scientifiques antiques illustrés (hellénistiques, perses, sanscrits) incitèrent les auteurs musulmans à incorporer eux aussi des illustrations, indispensables pour la compréhension de la médecine ou des sciences* appliquées. De son côté, la littérature favorisa l'essor de la miniature figurative dont l'aura s'étendit de Bagdad* jusqu'à l'Andalousie. Sous les chahs kajars d'Iran (1779-1924), une école de peinture de chevalet se créa au XIXe siècle, et dans l'Iran chiite* d'aujourd'hui, le Prophète est représenté sans voile de visage (ce qui est impensable chez les sunnites), tandis que des icônes d'Ali*, de Fatima ou de la « passion » d'Hossein, à Kerbela, ornent lieux publics et privés.

Panneau de revêtement, Kachan (Iran), XIIIe siècle. Céramique à décor de lustre métallique sur glaçure blanche et opaque et rehauts de bleu. Paris, musée du Louvre.

Imam

En arabe*, *imam* signifie « celui qui est placé devant » pour conduire la prière rituelle à la mosquée*. L'islam sunnite n'ayant pas de clergé, c'est une fonction généralement conférée à un homme adulte compétent en matières religieuses. Chaque mosquée s'en attache un, au moins pour prononcer le sermon du vendredi*. À défaut d'un imam attitré, tout homme sain d'esprit peut remplir ce rôle. Dans le passé, le calife* était le premier imam, de même que les chefs de sectes dissidentes du sunnisme (kharijites ou ibadites). Le titre fut aussi décerné à des oulémas (docteurs de la Loi) prestigieux (al-Ghazali) et aux fondateurs des écoles* juridiques.
En revanche, l'islam chiite* duodécimain (« des douze imams »), qualifié d'« imamite », confère à ses imams la dimension d'intercesseurs entre l'homme et Dieu, et leurs enseignements doivent être suivis par qui veut être sauvé (notion récusée par les sunnites). C'était le titre et la fonction d'Ali*, premier imam chiite, et, après lui, de ses descendants par Fatima, la fille de Mahomet*. Pour les chiites iraniens, l'imam représente le summum de la sainteté par son autorité et ses connaissances surnaturelles, virtuellement perçues comme égales, sinon supérieures, à celles du Prophète. Un autre concept clé chiite, à partir de l'« occultation » au monde du douzième imam en Irak au IXe siècle, est celui de l'« imam caché », le « Seigneur des Temps » qui reviendra sous les traits du Mahdi (en arabe le « bien guidé par Dieu ») attendu pour instaurer la justice dans le monde.

Un imam dans la mosquée Qarawiyin, Fès (Maroc).

Interdits alimentaires

Au moins 24 versets du Coran* contiennent des prescriptions alimentaires, dont certaines sont directement inspirées par des interdits de la Loi juive (Genèse, IX, 4). Les principaux interdits concernent la viande de porc, impure par excellence (le Coran qualifie cet animal de « souillure immonde »), mais aussi la chair du sanglier, du loup, du renard, du chien, du chat, des rapaces et des charognards. Le simple contact avec une charogne nécessite d'accomplir des ablutions* rituelles. Il convient d'ajouter le sang, tout aussi impur : en conséquence, l'animal doit être égorgé d'un seul coup, afin de ne pas séparer la tête du corps, et en direction de La Mecque*. L'interdit concerne aussi les animaux licites sacrifiés à des divinités autres qu'au Dieu unique,

Préparation de la semoule à Oran (Algérie).

alors que les bêtes tuées en l'honneur d'Allah*, par exemple lors de la fête* du sacrifice pendant le ramadan* ou au cours du pèlerinage*, peuvent être consommées. Le poisson et le gibier (non faisandé) sont permis, la chasse étant autorisée à condition de prononcer le *bismillah* (« au nom d'Allah ») en frappant l'animal à mort. Enfin, les boissons fermentées, résultat d'une transformation de fruits ou de céréales par l'homme, sont formellement prohibées car elles influent sur la conscience du croyant. Le vin est néanmoins un thème récurrent des écrits soufis*, souvent compris comme une anticipation spirituelle des « rivières de vin » du paradis* qui coulent des fon-

taines célestes, à côté de l'eau pure et du lait (Coran, XLII, 15). Le jeûne du ramadan, qui vise à une maîtrise des sens, peut aussi être considéré comme un rappel à ne pas succomber à des faiblesses comme la gloutonnerie. Il constitue également une manière d'appréhender les maux de ceux qui souffrent de la faim.

Jérusalem

Jérusalem, en arabe* *al-Quds* (« la Sainte »), est dans le Coran* la troisième cité sainte de l'islam après La Mecque* et Médine : d'abord parce qu'elle est associée à la « Maison sainte » (le Temple de Salomon) et aux prophètes* bibliques révérés par l'islam ; ensuite car c'est à partir de Jéru-

Le Dôme du Rocher, Jérusalem.

Eugène Delacroix, *La Noce juive dans le Maroc*, 1841. H/t 105 × 140. Paris, musée du Louvre.

salem que Mahomet* effectua son « voyage nocturne » (*isra*). Guidé à partir de la Kaaba* par l'ange Gabriel jusqu'à l'esplanade du Temple de Salomon, le Prophète accomplit son « ascension » (*miraj*) sur le dos du cheval ailé Buraq jusqu'aux « sept cieux », où il accéda à la « présence divine » avant d'être ramené la même nuit à la Kaaba par sa monture. Au début de la prédication de Mahomet, Jérusalem marquait la direction de la prière (*qibla*), mais celle-ci fut orientée vers la Kaaba après sa rupture avec les juifs de Médine. Lors de la première expansion de l'islam, la reddition de la ville (638) fut négociée avec le patriarche byzantin, et les musulmans accomplirent la prière sur le mont du Temple, alors en ruine.

Le Temple, évoqué par le Coran comme « la mosquée la plus lointaine », fut pourvu de deux mosquées* majeures : le Dôme du Rocher (691) omeyyade*, dont le rocher central aurait servi de point de départ au *miraj* du Prophète, et

al-Aqsa (« la plus lointaine », VIIe-XIe s.) en référence au Temple juif. À deux reprises, les croisés* firent de la ville la capitale du royaume latin de Jérusalem, de 1099 à 1187, puis de 1229 à 1244.

Après la conquête du Proche-Orient par les Ottomans (1516), le sultan* Soliman le Magnifique fit reconstruire ses murailles et restaurer le Dôme du Rocher. Divisée en deux depuis 1949, Jérusalem est actuellement la capitale d'Israël et de l'Autorité palestinienne.

Judaïsme

Bien avant l'implantation de l'islam, des tribus juives étaient présentes en Arabie*, des riches royaumes du Sud (Yémen) – où le roi juif Dhu Nowas tenta brièvement d'instaurer le judaïsme comme religion d'État au VIe siècle – aux oasis du nord et du centre (Hedjaz). C'étaient des convertis locaux ou des immigrants, généralement commerçants ou agriculteurs. Après l'exode (hégire*) de Mahomet* à Yathrib (Médine), les rapports étaient étroits avec les juifs, très

présents dans cette ville et aux alentours. Les musulmans, qui revendiquaient Abraham* comme patriarche, priaient dans la direction de Jérusalem* et observaient un jeûne inspiré du Grand Pardon. Mais les juifs refusèrent de se convertir et de reconnaître Mahomet comme le « Sceau des prophètes ». Les tribus juives les plus puissantes subirent alors de dures exactions de la part des musulmans : les hommes de l'oasis de Khaybar (près de Médine) furent massacrés et leurs familles réduites en esclavage (628). Cette rupture n'empêcha pas la révérence du Coran* envers les grands prophètes* bibliques ni l'inclusion des juifs parmi les « gens du Livre » non contraints à la conversion*.
Le judaïsme a profondément marqué l'islam, la distinction opérée entre la Torah (Bible) et le Talmud (commentaires) se retrouvant entre le Coran et les *hadith* (traditions, actes et propos du Prophète), deuxième fondement de la charia* qui, comme la halaka juive, règle minutieusement tous les aspects de la vie. À l'instar du judaïsme, l'islam considère le droit et les écoles* juridiques comme étant partie prenante de la religion : peut-être sous l'influence de juifs convertis à l'islam, les *hadith* se développèrent surtout en Irak où se trouvaient des centres du Talmud babylonien. De Bagdad* à l'Andalousie, les juifs jouèrent un rôle majeur dans la vie intellectuelle et économique du monde islamique, les savants, érudits et littérateurs juifs utilisant largement la langue arabe* pour rédiger leurs œuvres profanes.

La Kaaba peinte sur une maison égyptienne.

La Kaaba. Miniature extraite du *Traité d'astrologie* de Saïd Mohammed ibn Emir Haran al-Saoudi. Paris, BNF, Mss or., Suppl. turc 242 (f. 74v°).

Kaaba

Située au centre de la Grande Mosquée* de La Mecque*, la Kaaba est le « cube » – premier sens du mot – de 15 m de hauteur sur quelque 12 m de côté, recouvert d'une étoffe noire ornée de calligraphies* coraniques que l'on change chaque année. Son emplacement indique la direction (*qibla*) vers laquelle doivent se faire les cinq prières quotidiennes – un des piliers* de l'islam. Dans son angle sud-est se trouve la Pierre noire, qui n'est pas un objet de culte mais « matérialise » le sanctuaire de Dieu. Seuls les musulmans peuvent accéder au périmètre réservé (le *haram*) autour de la Kaaba et de La Mecque (ainsi qu'à Médine).
Selon la tradition, cet édifice a été construit par Adam et rebâti par son fils Seth, puis par Abraham* et son fils Ismaïl. Les travaux terminés, Dieu ordonna à Abraham d'inciter l'humanité à se rendre en pèlerinage à cette « demeure antique ». Par la suite, la Kaaba fut reconstruite par les descendants de Noé. Plusieurs siècles avant l'avènement de l'islam, les Qoraychites en firent le principal centre religieux païen de l'Arabie* antique. Au début de l'ère islamique, les califes* Omar et Othman créèrent une vaste aire de circumambulation pour le pèlerinage* (*hajj*). Le sanctuaire subit de nombreuses vicissitudes, comme l'incendie

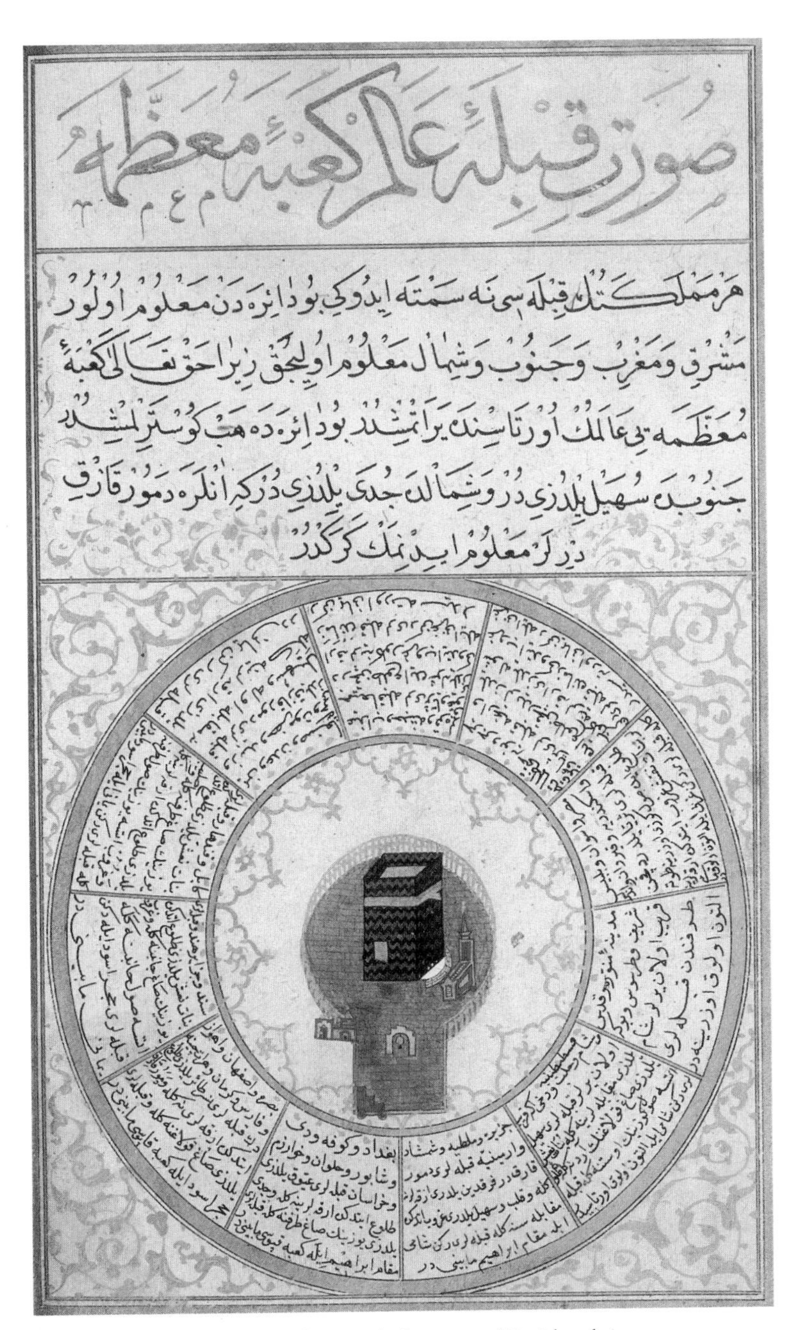

de 684 qui détruisit la Kaaba, le feu faisant fondre la Pierre noire. Le « cube » fut reconstruit en pierre sur une plus grande échelle, les morceaux de la Pierre noire étant retenus par un ruban d'argent. Au Xe siècle, un chef qarmate chiite* la subtilisa avant de la rendre plus tard sous la pression des Fatimides*. Embellie au cours des siècles, la Kaaba elle-même a relativement peu changé depuis la fin du VIIIe siècle.

LIVRE (ART DU)

Chaque livre dérivant symboliquement du Livre par excellence, le Coran*, les arts du livre figuraient parmi les plus prestigieux de la civilisation islamique. À ce titre, ils étaient servis par des équipes de professionnels : copistes, calligraphes, enlumineurs, miniaturistes, doreurs et relieurs. Ces activités devinrent une industrie florissante grâce à des mécènes, à des amateurs de bibliothèques* et à la clientèle des librairies situées près des mosquées* du vendredi* ou dans les marchés (souks).

Un atout majeur fut la généralisation du papier dès les XIe-XIIe siècles en Orient, un siècle plus tard au Maghreb et en Andalousie. À la faveur des grandes traductions du patrimoine grec sous les Abbassides*, les restrictions sur l'image* n'empêchèrent pas l'illustration de livres scientifiques*, tels le *Livre des procédés mécaniques* d'al-Djazari et le *De materia medica* du Grec Dioscoride. La littérature fit appel à la miniature, art qui connut son premier apogée au XIIIe siècle à Bagdad*, où une école assimila éléments byzantins et turco-iraniens pour atteindre un réalisme visuel nouveau. Ces activités furent copiées chez les Seldjoukides*, les Fatimides* et les Mamelouks du Caire, mais assez peu au Maghreb. En Perse, l'accession au pouvoir de la dynastie (chiite*) safavide (1501-1732) porta la miniature à de nouveaux sommets ; d'abord marquée par un souci naturaliste, la perspective et la recherche de l'individualisation des personnages, elle évolua vers la fluidité et la grâce du dessin au détriment de la couleur. Nombre de ces productions tendaient à se suffire à elles-mêmes et n'illustraient plus de manuscrits.

Pour l'école ottomane*, la référence restait le style persan, revu toutefois dans un souci du détail physique et social. En Inde, les Moghols* (1526-1858), également « tributaires » de la Perse sur le plan artistique, adoptèrent une esthétique plus naturaliste, voire réaliste, dans des compositions plus vivantes dont les éléments étaient mis en rapport entre eux et pas seulement juxtaposés (*Livre de Babur* et *Livre d'Akbar*, XVIe s.).

Sous l'influence de la peinture européenne, un véritable art du portrait « psychologique » s'y développa, utilisé seul ou inclus dans des albums rassemblant miniatures, poésies et calligraphies*. Le goût pour ce type d'ouvrages était partagé par les cours de Perse et de Turquie.

Mahomet au milieu de ses disciples. Miniature extraite de *La Fine Fleur des histoires de Louqman*, 1583. Istanbul, musée des Arts turcs et islamiques.

MAHOMET

Mahomet (en arabe* *Muhammad*, « le Louangé »), né à La Mecque* vers 570 et mort à Médine en 632, est le fondateur de l'islam. « Prophète » (*nabi*) et « Envoyé » (*rasul*), c'est cependant un homme ordinaire, qui n'a pas le don d'accomplir des miracles ; mais il a été élu par Allah* pour transmettre sa Révélation aux hommes. « Sceau des prophètes », il est venu « sceller » le message monothéiste d'Abraham* et mettre fin à l'« ère de l'ignorance » des Arabes et du monde. Sa biographie nous est principalement connue par le Coran*, les Traditions » (*hadith*) et la Sira (ou « Vie du Prophète », VIIIe s.).
Mahomet est issu du clan hachémite de la tribu qoraychite qui domine La Mecque. C'est dans une caverne du mont Hira, près de la cité, alors qu'il est âgé d'environ 40 ans (vers 610), qu'il reçoit ses premières révélations par l'intermédiaire de l'ange Gabriel (en arabe *Jibraïl*) : celui-ci lui annonce qu'Allah l'a choisi comme messager arabe du Dieu des juifs et des chrétiens. Probablement illettré, Mahomet a dû avoir connaissance du contenu de l'Ancien Testament et des Évangiles car des tribus judaïsées* et christianisées* vivent à cette époque en Arabie*. Sa prédication contre l'idolâtrie, qui menace le monopole des Qoraychites sur la Kaaba*, le plus important pèlerinage païen d'Arabie, lui vaut d'être menacé de mort, aussi émigre-t-il (le sens même du mot « hégire* ») avec ses premiers compagnons à Yathrib, à 350 km de La Mecque. Yathrib adopte alors le nom de Médine (Madinat al-Nabi, « ville du Prophète »). Là, Mahomet décrète le djihad* contre les idolâtres mecquois. Lorsque ses relations avec les juifs se détériorent (ceux-ci refusent d'embrasser l'islam), il transfère alors la direction de la prière (*qibla*) musulmane de Jérusalem* à La Mecque. Des guerres victorieuses contre les Mecquois dévoilent son génie politique comme fédérateur des Arabes et réformateur de la société bédouine, tout en marquant son refus de séparer religion et politique.
La communauté musulmane s'accroît rapidement et ses membres, après leur victoire à la « bataille du Fossé » (627), accomplissent leur premier pèlerinage* à La Mecque. Trois ans plus tard, le Prophète fait détruire les trois cents idoles de la Kaaba. La majorité des Mecquois se convertissent, suivis par une grande partie de l'Arabie : beaucoup affluent à Médine. Lors du pèlerinage de 631, Ali*, gendre de Mahomet, déclare le polythéisme hors la loi et interdit l'accès des lieux saints mecquois aux non-musulmans. Malade, le Prophète conduit le « pèlerinage de l'Adieu » en 632 avec peut-être 30 000 musulmans des deux sexes et fixe les rites du pèlerinage collectif. Il meurt peu après son retour à Médine.

Mahomet arrive au quatrième ciel et rencontre les anges.
Miniature extraite du *Livre de l'ascension du Prophète*, XVIe siècle.
Paris, BNF, Mss or., Suppl. turc 190 (f. 22).

Marabout

Le marabout (de l'arabe *murabit*), est un personnage saint du monde islamique (en particulier du Maghreb, à l'époque coloniale), ou l'un de ses descendants, que l'on vénère dans l'espoir de bénéficier de ses grâces (*barakat*) et de ses pouvoirs thaumaturgiques. Par métonymie, le mot s'applique également depuis le XIXe siècle au petit sanctuaire local où repose le marabout, généralement un simple cube blanc surmonté d'une coupole. Le maraboutisme constitue une importante dimension de la spiritualité maghrébine, attirant des foules immenses à l'occasion des fêtes* qui célèbrent les personnages révérés. Mais ce phénomène, lié aux confréries* soufies*, apparaît sous des formes et des appellations différentes dans tout le monde musulman (à l'exception de l'Arabie Saoudite wahhabite, qui l'a supprimé).

L'origine du mot arabe *murabit* remonte aux confréries des « guerriers de la foi », sortes de moines-soldats (*murabitun*) qui vivaient dans un couvent fortifié appelé *ribat* et qui mêlaient djihad* et piété. Ce fut le cas de la dynastie berbère des Almoravides, qui émergea d'un *ribat* sur le fleuve Sénégal d'où elle propagea l'islam en Afrique sub-saharienne avant d'unifier un temps le Maghreb et l'Espagne (XIe-XIIe s.). De tels couvents sont parvenus jusqu'à nous et l'un d'eux a même légué son nom à Rabat, la capitale du Maroc. À partir du XIIIe siècle, les homologues de ces moines-soldats en Orient étaient les gazis, « guerriers des frontières » et propagateurs de l'islam.

Mausolée

Le mausolée, tombeau ou monument dynastique, a donné naissance à un art funéraire malgré la réprobation, par l'islam orthodoxe, de l'ostenta-

Mausolée du saint Sidi Ahmed Oumghani, Aït Haddou Ameur (Haut-Atlas marocain).

Le mausolée de Zubayda, épouse du calife abbasside Haroun al-Rachid, près de Bagdad (Irak) .

tion et de la commémoration visuelle des morts. Inéluctable, la mort est en effet un « retour à Allah* » décrété par Lui seul, si bien que le fait de perpétuer dans la pierre une gloire nécessairement transitoire peut passer pour une preuve d'excessive vanité. Isolé, associé à une madrasa (voir Universités), à une mosquée*, ou inclus dans un grand complexe architectural*, le mausolée fut décliné selon les dynasties et les traditions artistiques régionales. Appelés *kubba* en arabe*, *turba* ou *gunbad* en persan*, *türbe* en turc, *machchad* pour un martyr de la foi (chiite* en particulier), les mausolées se sont multipliés lorsque les Turcs ont fondé des dynasties et ont voulu perpétuer leurs noms. Mais le prototype architectural le plus ancien du mausolée encore visible est iranien : c'est celui des Samanides à Boukhara (Xe s.), édifié en brique. De nombreux mécènes, comme les Mamelouks du Caire, ont couplé leur tombeau ou leur mausolée à des constructions financées par leurs soins : mosquée, madrasa, couvent de derviches soufis*, hôpital…

En Iran, des tours faisaient office de tombeaux, mais c'est le plan carré ou polygonal surmonté d'une coupole qui s'est généralisé, du simple marabout* au mausolée à dôme. Le plus grandiose d'entre eux est sans conteste le Taj Mahal : tout de marbre, il fut édifié à Agra, en Inde, par Shah Jahan à la mémoire de son épouse Mumtaz.

■ MECQUE (LA)

Située dans une vallée aride du Hedjaz enserrée par les montagnes, La Mecque (*Makka* en arabe) incarne pour tout musulman la « Mère des cités ». Ne figure-t-elle pas comme le centre du monde sur les cartes anciennes ? À l'époque de Mahomet*, la ville était dirigée par une oligarchie marchande dominée par la tribu des Qoraychites. Ceux-ci s'étaient enrichis grâce à la situation de la cité, étape incontournable sur la route des produits précieux d'Asie mais aussi sur celle de l'encens et des aromates destinés aux cultes égyptiens, proche-orientaux, grecs, puis romains.

La Kaaba* de La Mecque constituait en outre le plus important des six grands lieux de pèlerinage* « païens » de l'Arabie* antique, accueillant des foires annuelles – lors des trêves dans les guerres intestines bédouines – qui offraient le prétexte à des joutes poétiques célèbres, non sans incidence pour la formation de la langue arabe*, encore en gestation.

Mais sa plus grande gloire est sans nul doute d'être la ville natale de Mahomet. Le Prophète y naquit vers l'an 570, et c'est sur le mont Hira, aux abords de la cité, qu'il eut ses premières révélations. Après plusieurs années de guerre contre les Mecquois, il conduisit en 628 un premier pèlerinage à La Mecque – désertée par ses habitants – avant d'y retourner en 630 avec 10 000 partisans qui détruisirent les idoles de la Kaaba. Les Mecquois se convertirent alors, suivis par de nombreuses tribus arabes. Peu avant sa mort, le Prophète y fixa les rites du pèlerinage (*hajj*), l'un des cinq piliers* de l'islam.

La Mecque connut un déclin relatif, la capitale de l'islam demeurant à Médine – la deuxième cité sainte. Par la suite, les Omeyyades* déplacèrent le centre de l'empire musulman à Damas, et les Abbassides* à Bagdad*. De 966 à 1924, les chérifs (de l'arabe *charif*, « noble ») hachémites descendants du Prophète contrôlèrent la ville, d'abord sous la suzeraineté des califes*, puis au nom des Ottomans*. Durant la Première Guerre mondiale, le chérif Hussein, rangé dans le camp des Alliés, se proclama roi du Hedjaz, et ses fils Abd Allah et Fayçal reçurent respectivement les royaumes de Transjordanie et d'Irak. En 1924, les Wahhabites absorbèrent La Mecque et le Hedjaz dans leur royaume : l'Arabie Saoudite.

Rassemblement autour de la Kaaba pour la prière du soir, lors du pèlerinage à La Mecque (Arabie Saoudite).

Mihrab

Ce terme d'architecture*, emprunté à l'arabe*, désigne la niche en forme d'abside destinée à matérialiser, dans une mosquée*, la direction de La Mecque* (*qibla*). Dans le même temps, le mihrab est conçu pour réfléchir les sons, favorisant ainsi la diffusion de la voix de l'imam*. Sa forme peut avoir été inspirée par les niches liturgiques marquant le Saint des Saints dans les synagogues juives, ou par l'abside des églises coptes (Égypte),

Mihrab de la Grande Mosquée de Cordoue, v. 965.

portes d'un au-delà vers lequel tend la prière. D'une manière générale, la niche, image de la « caverne du monde » et « lieu d'apparition » de la Divinité, appartient à toutes les traditions orientales. Son symbolisme, dans le Coran*, apparaît dans la « sourate de la lumière » (XXIV) où la présence divine dans le cœur de l'homme est comparée à une lumière émanant d'une lampe placée dans une niche. Au temps du Prophète, la *qibla* était signalée par une simple pierre. Apparu sous les Omeyyades*, le mihrab acquit son usage spécifique et se répandit au point de devenir souvent l'espace le plus décoré de la mosquée, reflétant les traditions et les matériaux locaux (pierre, stuc, céramique...). Le mihrab en marbre de la Grande Mosquée de Cordoue est ainsi formé de somptueuses mosaïques multicolores en verre fondu doré, exécutées au Xe siècle par des artistes de Byzance*. Lors des agrandissements successifs dus à l'accroissement de la population, plusieurs autres mihrabs ont même été ajoutés. C'est aussi le cas dans les plus vastes mosquées actuelles.

Minaret

Le minaret (mot emprunté à l'arabe* *manara*, « phare ») est la tour d'une mosquée* d'où le muezzin* lance l'appel aux cinq prières canoniques et à la réunion de la communauté des croyants, à des heures fixes de la journée. C'est probablement la construction qui caractérise le plus immédiatement villes et villages du monde islamique : outre sa fonction esthétique au sein de l'ensemble constitué par la mosquée, sa verticalité marque une injonction à la transcendance et à la célébration d'Allah* par la prière. Son origine est mal connue : les premières mosquées n'en possédaient pas, l'appel étant lancé à partir de leur toit en terrasse.
Le minaret emprunte des formes diverses selon les traditions architecturales et les matériaux locaux. Symbole ostentatoire et glorieux de la présence de l'islam, il est apparu à Damas,

en Syrie omeyyade* au tournant du VIIIe siècle sous la forme d'une tour carrée inspirée par les clochers des églises, un modèle qui essaimera au Maghreb et en Andalousie. D'autres formes de minaret apparurent, la plus répandue étant la forme cylindrique (Iran, Inde, Asie centrale) ou à rampe hélicoïdale, comme en témoigne la Malwiya de Samarra (IXe s.), près de Bagdad*, haute de 55 m et inspirée par les ziggourats babyloniennes. Au XIIIe siècle, les sultans de Delhi, en Inde, édifièrent le gigantesque Qutb minar (le « pôle spirituel »), haut de 72,5 m et doté de cinq galeries à stalactites. Les Ottomans*, quant eux, imposèrent dans leur empire les minarets cylindriques élancés, caractéristiques de leur style.

La Malwiya de la Grande Mosquée, Samarra (Irak), 849-852.

Minbar

Pièce maîtresse du mobilier rituel, le minbar est la chaire, toujours placée à droite du mihrab*, d'où l'imam*, la tête et les épaules enveloppées d'un tissu blanc, prononce le prône du vendredi* midi. À l'époque de Mahomet* et des premiers califes*, c'était un simple escabeau comportant trois marches de bois. Sous les Omeyyades*, le minbar devint une véritable chaire où prenaient place – jamais sur les degrés supérieurs car c'était l'apanage du Prophète – le souverain, le gouverneur ou le chef de la communauté en signe d'autorité. De cette tribune monumentale étaient diffusées les nouvelles importantes touchant à la religion et à la politique. Bientôt, toutes les mosquées de l'Empire possédèrent une chaire, généralement en bois et à étages, bordée par une balustrade dont les côtés étaient constitués d'un assemblage de panneaux sculptés ou marquetés (comme à Kairouan, en Tunisie). Parfois même, les minbars étaient rehaussés d'incrustations de nacre et d'ivoire, et dotés d'une porte à deux vantaux, de balustrades et d'une imitation de baldaquin au-dessus du dernier degré vide de la chaire. Cet élément, apparu à l'époque des Turcs seldjoukides* (XIe-XIIe s.), n'est pas sans rappeler le symbolisme bouddhiste du trône du messager divin invisible. Dans les mosquées impériales ottomanes* (comme à Istanbul), le minbar peut revêtir l'aspect d'une simple plateforme nue, surélevée et accessible par quelques marches.

Minbar de la mosquée de Sokullu Mehmet Pacha, Istanbul, 1572.

Moghols

Babur, descendant de Tamerlan et de Gengis Khan, fonda la dynastie moghole en battant d'abord le sultan de Delhi en 1526, puis les guerriers rajput hindous. Son petit-fils Akbar méritait bien son nom (*akbar* signifie « le plus grand » en arabe*) : son règne s'étendit sur un demi-siècle (1556-1605), marqué par l'affermissement du pouvoir moghol sur le nord et le centre de l'Inde, la suppression de divers sultanats indépendants et la prise du Kandahar (Afghanistan), voie des invasions au nord-ouest. Grand général, Akbar se montra aussi un audacieux réformateur en tentant de rapprocher musulmans et hindous. Il inventa ainsi une sorte de syncrétisme culturel et religieux indo-musulman, la « foi divine » (*din-i ilahi*), laquelle, bien que confinée à sa cour, favorisa une rencontre entre soufisme* et hindouisme. C'est aussi sous le règne d'Akbar que prit forme l'une des plus fastueuses civilisations du monde. Au XVIIe siècle, ses successeurs, Jahangir et Shah Jahan, grands bâtisseurs également, renforcèrent la mise au pas des rajput hindous, des chiites* du Dekkan et des Portugais établis sur les côtes. En cinquante ans de règne, Aurangzeb, le dernier des « Grands Moghols » (terme européen désignant les six premiers empereurs de la dynastie), porta l'Empire à son extension maximale, mais ses guerres et son intolérance religieuse vis-à-vis des hindous lui aliénèrent ces derniers, alors majoritaires. Un irrémédiable déclin s'amorça ensuite, jusqu'à la suppression de la dynastie, en 1858, par les colonisateurs britanniques.

Akbar remet la couronne impériale à Shah Jahan. Gouache de Bichitr extraite de l'*Album Minto*, 1631. Dublin, Chester Beatty Library.

MOSQUÉE

La mosquée (de l'arabe* *masjid*, « lieu de la prosternation devant Dieu ») est l'espace communautaire consacré à la diffusion de la Parole divine et le lieu central de la cohésion des musulmans. C'est aussi le monument qui incarne l'islam aux yeux du monde entier : un espace souvent dépouillé portant des versets calligraphiés* du Coran*. Son architecture*, qui définit la fonction sacrée par rapport au monde profane extérieur, ne délimite pas de séparation « sacramentelle » entre clercs et fidèles – comme la synagogue juive, l'iconostase orthodoxe ou le temple hindou –, mais procure un espace de recueillement sans tension entre le ciel et la terre. On n'y accède que déchaussé et dans l'état de pureté rituelle conféré par les ablutions* majeures et mineures effectuées dans les salles d'eau, près de l'entrée de l'édifice, « seuil » entre vie active et ressourcement à la parole d'Allah*. Remarquons que la mosquée possède des espaces séparés (*maqsura*) pour les femmes*.

Depuis son origine, la mosquée est aussi un centre d'enseignement (madrasa ou école coranique) et fournit un abri aux indigents et aux voyageurs. Reflet du sanctuaire originel de La Mecque*, elle incarne surtout, comme la synagogue juive, le lieu de la réunion des fidèles, et non la « maison de Dieu » comme se veut toute église chrétienne. La Terre entière étant donnée pour la prière à chaque musulman par Allah, cette activité peut être effectuée n'importe où, à l'extérieur de la mosquée si elle est comble, sur son lieu de travail, chez soi, etc. Il suffit de se ménager un emplacement propre (un tapis, une simple natte...) et d'avoir rempli les mêmes obligations rituelles que pour pénétrer dans une mosquée.

D'après les Traditions (*hadith*), la première mosquée fut l'espace de prière soutenu par des troncs de palmiers au sein même de la demeure de Mahomet*, à Médine. Si le plus ancien monument religieux islamique encore visible est le Dôme du

La Grande Mosquée du vendredi, Ispahan (Iran), XIe-XIIe siècle.

Rocher, à Jérusalem* (691) – un reliquaire plus qu'un lieu de culte –, c'est la Grande Mosquée des Omeyyades* à Damas, édifiée en 705-715 sur le site d'une église dédiée à saint Jean-Baptiste, qui fournit le prototype des mosquées dites « hypostyles ». Il s'agit de constructions soutenues par des colonnes et auxquelles on peut à volonté ajouter des nefs, comme à Cordoue, à mesure de la croissance démographique de la ville. Cette flexibilité et sa parfaite adéquation au rituel musulman l'imposèrent dans l'Islam méditerranéen, de la Syrie à l'Andalousie, et même en Anatolie et en Inde (XIIIe s.). Son plan simple – dit « arabe » – comprend une vaste cour avec des fontaines pour les ablutions et une salle de prière dont la division en trois nefs – inspirée des basiliques chrétiennes – permet de bien suivre les gestes de l'imam* dirigeant la prière. Une coupole surmonte le mihrab* et quatre minarets* symbolisent la religion conquérante. À partir des XIe-XIIe siècles, un autre type de mosquée – et de madrasa (voir Universités) – apparut dans le monde iranien : une unique entrée ouvre sur une cour centrale dont les quatre faces sont dominées par de grande salles voûtées (iwans), comme dans la Grande Mosquée du vendredi* à Ispahan. En Inde, les sultans de Delhi édifièrent l'immense mosquée Quwwat al-Islam (« Puissance de l'islam »), qui réutilisait les matériaux de temples hindous détruits. Au XVIe siècle, le dernier type de grande mosquée apparut avec les Ottomans* : la coupole centrale y domine un espace sacré désormais unifié, flanqué de quatre minarets effilés. Cette architecture sacrée essaima – sous une forme réduite – de Bagdad* à Alger, et jusque dans les Balkans (Sarajevo).

Réunion de mollahs,
mosquée safavide de Tchahar Bagh, Ispahan (Iran).

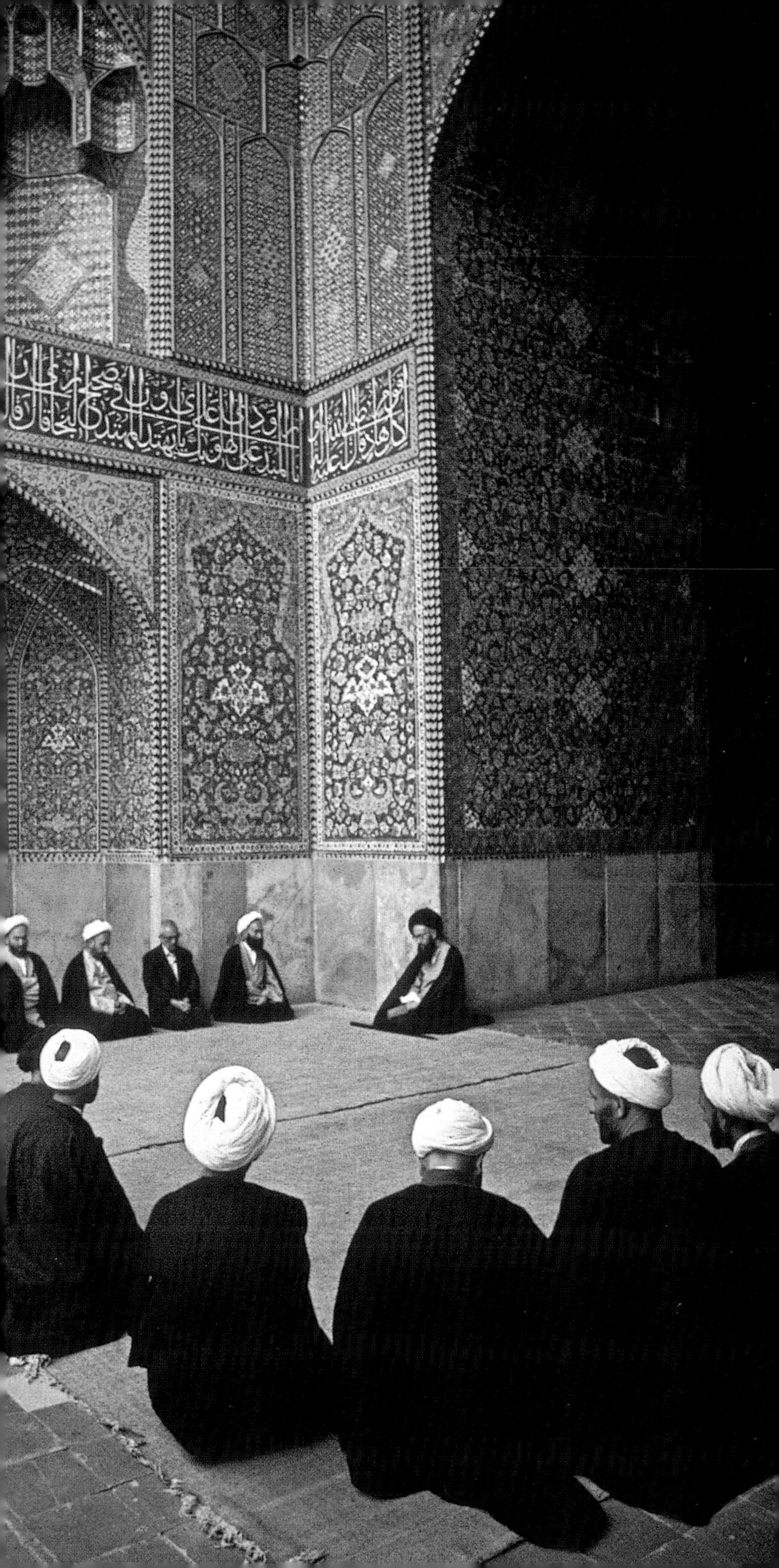

Muezzin appelant à la prière, Ispahan.

Muezzin

Le muezzin est, originellement, celui qui lance du haut du minaret* l'*adhan*, l'appel aux cinq prières quotidiennes. Force est de constater que, de nos jours, il est massivement remplacé par des haut-parleurs ou des annonces radio et télédiffusées… La coutume veut que le muezzin donne la réponse à l'imam* pendant la prière et que, la nuit, il psalmodie le Coran* du haut du minaret en attendant d'appeler à la prière du matin. La formule consacrée est « Dieu est le plus grand » (*Allah hu akbar*), suivie de la « profession de foi » (*chahada*). La prière du vendredi* est annoncée à deux reprises pour en souligner la solennité. Selon la tradition, c'est Bilal, l'esclave abyssin affranchi par Mahomet*, qui lançait l'appel à la prière à partir du toit de la maison du Prophète à Médine. Sa voix est passée à la légende…
Il n'existe pas de mélodie particulière pour moduler l'appel, le principal étant que les mots soient correctement prononcés. La coutume a longtemps voulu que le muezzin soit aveugle pour que son regard ne viole pas les cours, lieu de retraite des femmes*. Appartenant au personnel de la mosquée, le muezzin n'est pas un personnage sacré ni même indispensable : n'importe qui peut remplir son office, quand ce n'est pas un simple drapeau hissé sur le minaret du village à destination des travailleurs des champs. En Indonésie, par exemple, la prière peut être appelée par des gongs, d'origine bouddhique.

Grande Mosquée des Omeyyades, Damas (Syrie), 705-715.

Omeyyades

Fondateurs de la première dynastie califale héréditaire de l'islam (661-750), les Omeyyades tirent leur nom d'Umayya, l'ancêtre mecquois de Muawiya, gouverneur de Syrie. Ce dernier et ses deux successeurs, Abd al-Malik et Hicham, de bons administrateurs qui régnèrent chacun une vingtaine d'années, portèrent l'« empire arabe » à son apogée. Les Omeyyades créèrent une monnaie internationale et mirent sur pied une administration inspirée par celles des Grecs et des Perses vaincus. Mais le caractère arabo-centriste de leur régime leur aliéna de nombreux convertis non arabes, iraniens en particulier, obligés de devenir les « clients » (*mawalis*) d'un clan arabe dont ils se sentaient exclus. Nombre d'entre eux grossirent le « parti d'Ali* ». Ce malaise aboutit à la « révolution » abbasside* contre les « usurpateurs » de Damas, marquée en 750 par le massacre de la famille régnante, à l'exception du prince Abd al-Rahman qui s'enfuit au Maghreb. En 756, ce dernier fut appelé en Andalousie où les Arabo-Berbères étaient solidement implantés depuis 711. Il y fonda une nouvelle dynastie omeyyade centrée sur l'émirat de Cordoue (756-1031), qui devint la plus grande ville d'Europe, rivalisant avec Byzance* et Bagdad* en Orient. Le califat atteignit son apogée sous les cinquante ans de règne d'Abd al-Rahman III (912-961), qui se proclama calife* en 929, en réaction au califat fatimide* chiite*. En 1031, la désagrégation du régime laissa la place à une trentaine de « rois des factions » musulmans (*reyes de Taifas*) brillants mais incompétents...

Ottomans

La dynastie des « fils d'Osman » (dont dérive le nom « Ottoman ») est issue d'un clan nomade turkmène immigré en Anatolie, qui pratiqua le djihad* contre les Byzantins chrétiens. À partir de la fin du XIVe siècle et avant la prise de Constantinople (1453), les Ottomans occupèrent progressivement et méthodiquement les Balkans (Albanie, Serbie, Bulgarie...). L'islamisation de ces régions fut soutenue par un peuplement musulman amené d'Asie Mineure ou des khanats (principautés) tatares de la mer Noire, dont l'esprit de « combattants de la foi » (gazis) était galvanisé par des confréries* de derviches. Leur forme de mysticisme soufi* eut une influence profonde sur les peuples balkaniques, musulmans ou non.

Portrait du sultan Sélim Ier. Istanbul, palais de Topkapi.

Sincères ou opportunistes, les conversions* à l'islam – qui n'obligeaient pas à renoncer à sa « nationalité » – se multiplièrent, d'autant que le modèle ottoman, à son apogée du XVe siècle au début du XVIIIe, exerçait une puissante attraction. En abattant le sultanat mamelouk d'Égypte en 1517, le sultan* Sélim Ier déposa et emmena à Istanbul le dernier calife* fantoche abbasside* du Caire. D'après une relation tardive du XVIIIe siècle, il se serait fait décerner le titre de calife par celui-ci, devenant le chef religieux suprême de tous les musulmans. Une autorité d'autant mieux acceptée qu'elle revenait au plus puissant État musulman d'alors, défenseur et propagateur du sunnisme.

Dans la seconde moitié du XIXe siècle, alors que l'expansion coloniale européenne touchait la majeure partie de leurs territoires, les musulmans placèrent leurs espoirs dans le sultan-calife d'Istanbul. Théorisé dans la capitale, le panislamisme (l'union des musulmans contre l'impérialisme européen) provoqua révoltes et manifestations dans tout le monde islamique, mais resta sans lendemain en raison de l'état de faiblesse de l'Empire ottoman. Le califat fut aboli en 1924 par Mustafa Kemal, président laïque de la nouvelle République turque.

Palais

Récits historiques, chroniques de règnes, témoignages littéraires mais aussi arts et architecture* nous éclairent sur la vie de cour dans l'Islam classique. Les palais se présentaient le plus souvent sous la forme de « villes royales », englobant administration et mosquée*. Le calife*, puis le sultan* à partir de 1055, l'émir ou tout autre dirigeant musulman local copiant ses supérieurs, y siégeaient, entourés de leurs dignitaires et de leurs hommes d'armes.

Le palais de l'Alhambra, Grenade (Espagne), XIVe siècle.

L'image du souverain était primordiale pour qu'il puisse assumer son rôle, aussi les dirigeants omeyyades*, abbassides*, puis fatimides*, seldjoukides* et mamelouks empruntèrent-ils les représentations idéalisées du « souverain en majesté » d'origine byzantine et sassanide. À partir du XIVe siècle, le prince fut montré dans son cadre de vie, le plus souvent idéalisé. Après les Abbassides, le palais lui-même évolua, prenant la forme d'un palais-cité flanqué de pavillons et de kiosques entourés de jardins (Alhambra, Marrakech, Topkapi...). La vie de cour, qui drainait une grande partie des richesses de l'État, stimulait alors tous les arts. Les plaisirs de la vie y étaient à l'honneur : musique, danse, chasse et sports, comme le polo, d'origine iranienne et très en vogue en Perse et en Inde, rythmaient la vie des princes. Ceux-ci appelèrent auprès d'eux savants, littérateurs, musiciens et hommes de religion qui recherchaient leur mécénat pour mener à bien leurs travaux. Car pouvoir et luxe étaient indissociables en terre d'islam, comme *Les Mille et Une Nuits* nous le rappellent à l'envi.

PARADIS
Un « jardin idéal »

Dans le Coran*, le paradis (en arabe* *janna*, le « jardin » en général et celui d'Éden avant la Chute, en particulier) est décrit comme un enclos protégé des vents du désert ; l'eau des « quatre fleuves » (Tigre, Euphrate, Oxus et Indus) y coule dans des canaux, entre des parterres aux arbres chargés de fruits et peuplés d'oiseaux ; des vierges et des échansons y accueillent les élus du Jugement dernier pour une éternité de délices... C'est donc une place privilégiée que le jardin, reflet du paradis à venir et souvenir du désert originel, occupe dans l'imaginaire musulman. On peut noter que, bien avant l'avènement de l'islam, la notion de jardin paradisiaque était connue des sociétés moyen-orientales qui l'associaient au « jardin enclos de murs » des palais persans (le grec *paradeisos* est emprunté au perse *pardez*). Les riches domaines des Sassanides, agrémentés de pavillons, en offraient les plus proches exemples. Sur le modèle hellénistique, les Omeyyades* aménagèrent dans le désert syro-jordanien des demeures de plaisir et des exploitations agricoles. Ce modèle généralisa le goût des jardins jusqu'au Maghreb (Marrakech) et en Andalousie : en témoigne l'éclatante réussite de l'Alhambra (XIIIe-XIVe s.). En Perse safavide, Abbas Ier (1588-1629) réactiva à Ispahan le schéma sassanide des « quatre jardins », qui essaima en Inde moghole* (Cachemire, Lahore, Agra) et revivifia la tradition des précieux « tapis-jardins » persans. À Topkapi (Istanbul), les Ottomans* mêlèrent traditions persane et byzantine. La symbolique du jardin, cadre par excellence des émois amoureux, a fourni de nombreuses métaphores dans les littératures islamiques et a suscité un art de la miniature particulièrement raffiné.

Le Prince persan Humay rencontre une princesse chinoise dans son jardin. Miniature persane, 1450. Paris, musée des Arts décoratifs.

Prière sur le mont Arafat (Arabie Saoudite).

Pèlerinage

Le pèlerinage collectif à La Mecque* (*hajj*) constitue l'un des cinq piliers* de l'islam. Son origine est attribuée à Abraham* et à Ismaïl, « restaurateurs » du monothéisme à la Kaaba*. Tout adulte des deux sexes, sain de corps et d'esprit et disposant des ressources nécessaires, doit accomplir au moins une fois dans sa vie ce rite de cohésion de la communauté musulmane (*umma*). Circonscrit à La Mecque et à ses environs, le pèlerinage « mineur » (*umra*) est un acte individuel sans contrainte de date. Avant d'atteindre les Lieux saints – La Mecque, ses environs et Médine –, les pèlerins accomplissent les ablutions* majeures et mineures et se mettent en état de « consécration » (*ihram*) en revêtant une pièce de tissu blanc sans coutures, en chaussant des sandales et en gardant la tête nue, abolition symbo-

Rostam et Kaykhusraw trônant. Miniature extraite du *Livre des rois* de Firdoussi, Chiraz (Iran), 1330. Istanbul, palais de Topkapi.

lique des différences sociales et ethniques. Parmi les principales étapes du *hajj* – qui dure quatre à six jours – figurent sept circumambulations (*tawaïf*) autour de la Kaaba, des prières à la « station d'Abraham », l'absorption d'eau de la source de Zamzam, sept courses rituelles sur les 420 mètres séparant les collines de Safa et de Mina (telle Hagar cherchant de l'eau pour Ismaïl). En référence au « pèlerinage de l'Adieu » du Prophète sur le mont Arafat (à 21 km de La Mecque), les pèlerins se livrent à un examen de conscience. Coïncidant avec la « fête* du sacrifice », l'abattage de centaines de milliers d'animaux commémore l'obéissance d'Abraham prêt à sacrifier son fils à Allah*. Enfin, la lapidation à Mina de colonnes symbolisant les tentations de Satan (Chaytan ou Iblis) à Abraham clôt le pèlerinage « officiel ».

Persan

Après la conquête arabe au VIIe siècle, la forme écrite figée du moyen iranien occidental (pehlvi) cohabita avec un parler persan vivace qui s'imprégna d'emprunts lexicaux de l'arabe* sémitique. Le persan littéraire renaquit dans les premiers États indépendants iraniens au IXe siècle, notamment chez les Samanides (819-1005) d'Asie centrale, et fut revivifié aux Xe-XIe siècles par les poètes Rudaki et Firdoussi. Le « Livre des rois » (*Chahnameh*) de ce dernier, premier texte néopersan majeur, célèbre en 60 000 vers l'épopée des héros de l'Iran préislamique. Dans l'Orient musulman où ils s'implantèrent, les Turcs s'iranisèrent et empruntèrent le modèle de gouvernement persan. La langue s'unifia alors, et la tendance s'accentua lorsque les invasions seldjoukides* et mongoles coupèrent l'est de

l'empire du monde arabophone (à l'ouest de l'Irak). C'est principalement dans la poésie que s'affirma le génie littéraire persan, avec Omar Khayyam (XIIe s.), les mystiques soufis* Jalal al-Din Rumi, Attar et Saadi (XIIe-XIIIe s.) puis Hafez (XIVe s.).
Dans l'Empire ottoman*, le persan, langue des belles-lettres, cohabitait avec l'arabe, langue religieuse, et le turc, langue administrative, ces dernières langues intégrant de nombreux emprunts persans. Le persan devint une langue transnationale lorsqu'il fut adopté en Inde par la cour et l'administration des sultans de Delhi, puis par les Moghols* (jusqu'au XIXe siècle). Comme le hindi d'origine sanscrite, l'ourdou, *lingua franca* des musulmans du nord de l'Inde, s'imprégna profondément du lexique et des formes littéraires persanes, tel le *ghazal* (court poème d'amour).

PILIERS
Cinq obligations fondamentales

L'islam repose sur cinq obligations rituelles, cinq « piliers » (*arkan ad-din*) qui règlent le rapport du croyant à Dieu. On trouve tout d'abord la « profession de foi » (*chahada*) qui affirme l'unicité d'Allah*. Dirigées vers la Kaaba*, les cinq prières quotidiennes (*salat*) s'accomplissent à l'aube avant l'apparition du soleil (*sobh*), à midi après le zénith (*zohr*), dans l'après-midi (*asr*), au coucher du soleil (*maghrib*) et dans le dernier tiers de la nuit (*isha*). Leur forme – gestes, inclinations, prosternations – et leur contenu suivent la manière dont Mahomet* les a inaugurées. Le croyant doit être dans l'état de pureté rituelle conféré par l'ablution* majeure. Seule la prière du vendredi* midi doit réunir tous les hommes de la communauté dans la principale mosquée* du lieu. Les prières omises (par les voyageurs, les malades ou pour toute autre raison) doivent être « rattrapées ». Plus directement sociale, l'« aumône légale » (*zakat*) consiste, pour ceux qui en ont les moyens, en un don d'argent destiné à « purifier » les biens matériels du péché. À l'origine une dîme prélevée pour secourir les pauvres et défendre la communauté, c'est aujourd'hui un impôt religieux volontaire directement versé aux nécessiteux. Le jeûne (*sawm*) du mois entier de ramadan* n'est pas une pénitence – au contraire du carême chrétien – mais une ascèse spirituelle en vue de maîtriser ses instincts et de se ressourcer à la religion. Enfin, le pèlerinage* à La Mecque* (*hajj*) est obligatoire au moins une fois dans sa vie pour quiconque – homme ou femme* – en a les moyens physiques et financiers. Contrairement à certaines idées reçues, le djihad*, « guerre sainte » collective contre l'impiété et les « polythéistes », ne fait pas partie des « piliers » de la foi.

Prière au milieu du désert, Tibesti (Tchad).

Joseph et Jacob, Iran, milieu du XIXe siècle. H/t 127 × 91. Coll. part.

Prophètes

Mahomet* s'est revendiqué comme le « Sceau des prophètes », venu « sceller » la révélation de la Torah et des Évangiles, « falsifiés » par Moïse et Jésus. Ainsi, les prophètes (*nabi*, pluriel *anbya*) reconnus par l'islam ne peuvent qu'être antérieurs à Mahomet et envisagés dans la seule perspective musulmane : dans son *Histoire des prophètes*, le grand historien al-Tabari (mort en 928) en dénombre ainsi 124 000…

Les prophètes sont divisés en deux catégories selon leur mission : d'une part les messagers d'une religion nouvelle, d'autre part ceux qui se situent au sein d'une religion existante. Cités dans le Coran*, les plus importants messagers ou « envoyés » (*rasul*) de Dieu sont des personnages bibliques. Citons parmi eux Adam, l'être humain « primordial », fondateur de la Kaaba* ; Noé, sauvé du Déluge par son obéissance à Dieu ; Abraham*, premier vrai monothéiste, patriarche des Arabes et des Hébreux ; Moïse, « passeur » des Hébreux en Terre promise ; David, vainqueur de Goliath ; Salomon, parangon de la sagesse ; mais aussi Ismaël (Ismaïl), Joseph, Aaron (frère de Moïse), Job, Jonas, etc. Le Nouveau Testament est représenté par Jésus (Issa), Jean le

Baptiste (Yahya), « précurseur » du christianisme*, et Marie (Maryam), mère de Jésus. Cette dernière est l'une des quatre « femmes* pures » de l'islam avec Khadija, première épouse du Prophète, sa fille Fatima, épouse d'Ali*, et la fille du pharaon qui sauva Moïse des eaux. Trois prophètes spécifiquement arabes avaient aussi été envoyés par Dieu avant Mahomet : Salih, Houd et Chuaïb. Si tous les prophètes ont accompli des miracles, Mahomet n'en revendiqua aucun. L'islam lui reconnaît cependant celui d'avoir révélé le Coran.

Mahomet rencontre Adam. Miniature extraite du *Livre de l'ascension du Prophète*, XVIe siècle. Paris, BNF, Mss or., Suppl. turc 190 (f. 3v°).

RAMADAN

Neuvième mois du calendrier de l'hégire*, le ramadan (« mois de la grande chaleur », correspondant en effet au plein été lorsque le mot fut adopté) est le mois du jeûne par excellence pour tous les musulmans : il constitue l'un des cinq piliers* de l'islam. L'année musulmane ne comportant en moyenne que 354 jours et 8 heures, le ramadan accomplit une révolution annuelle complète tous les 36 ans et se trouve donc décalé par rapport au calendrier grégorien. Le début du jeûne (*sawm*) – du lever au coucher du soleil – doit correspondre à la nouvelle lunaison, déterminée par les autorités religieuses et les calculs astronomiques ; il est signalé par un coup de canon et surtout, de nos jours, par les médias. Il est obligatoire pour tous les musulmans des deux sexes, majeurs et sains d'esprit, sauf pour les femmes* en menstruation, enceintes ou allaitantes, et les enfants en bas âge. Quant aux malades et aux vieillards, ils en sont dispensés si cela met leur vie en danger. Enfin, ceux qui l'ont volontairement ou involontairement rompu (les voyageurs, par exemple) devront « rattraper » les jours de non-observance. Il existe même une clause d'exemption pour ceux qui nourrissent trente personnes nécessiteuses pendant les trente jours du ramadan… Les enfants l'abordent graduellement – une demi-journée, une journée, etc. – jusqu'à ce qu'ils soient assez robustes pour l'accomplir dans sa totalité. Chaque jour, après la prière du soir, le jeûne est rompu par un repas léger, puis par un repas plus substantiel. La vie populaire reprend ses droits pendant la nuit. Juste avant l'aube, une légère collation est prévue et la coutume veut que des veilleurs de nuit rappellent aux dormeurs de se réveiller à temps pour la prendre.
Cette ascèse spirituelle – pendant laquelle on continue de travailler – est destinée à favoriser un ressourcement religieux et un retour sur soi par la discipline du corps et de la pensée, le jeûneur ne pouvant ni boire, ni manger, ni se livrer à aucun plaisir des sens (fumer, écouter ou jouer de la musique, avoir des relations sexuelles). Pendant le ramadan, les grâces divines (*barakat*) sont réputées plus accessibles. La lecture du Coran* connaît un regain pendant la « nuit du destin » (*laylat al-qadar*), qui commémore la « descente » du Coran sur Mahomet*. Le ramadan se clôt sur trois jours festifs ponctués par la « fête* de la rupture du jeûne » (*aïd al-fitr*) ou « petite fête » (*aïd al-saghir*), qui se manifeste notamment par la distribution d'aumônes.

La fin du ramadan, Dubaï (Émirats arabes unis).

Ben Badis, réformiste algérien.

Astronomes et savants dans l'observatoire de la tour Galata à Istanbul. Miniature, XVIe siècle. Istanbul, bibliothèque de l'Université.

Réformisme

Au XIXe siècle, alors que la majeure partie du monde musulman subissait l'occupation coloniale européenne et que la vie intellectuelle stagnait depuis des lustres, des voix s'élevèrent en faveur d'un aggiornamento politique, culturel et religieux. Le moteur en fut le mouvement de la salafiya (de *salafi*, « pieux ancêtres »), dominé par l'Indien Sayyid Ahmad Khan, l'Égyptien Muhammad Abduh et l'Afghan Jamal al-Din al-Afghani. Pour ces réformateurs modernistes, l'islam n'était pas fondamentalement incompatible avec le rationalisme occidental. Dénonçant l'inertie des oulémas (docteurs de la Loi), ils prônèrent la réouverture de l'*ijtihad*, l'« effort d'interprétation personnelle », clos depuis le XIe siècle. Abduh proposa même de supprimer les écoles* juridiques. Le penseur indien appliqua ses idées au sein du célèbre Mohammedan Anglo-Oriental College d'Aligarh. Abduh et al-Afghani, exilés à Paris, créèrent l'éphémère mais très influent périodique *Le Lien indissoluble* (1884), qui s'attaquait à l'obscurantisme et aux restrictions publiques en terre d'islam. Parallèlement à la création d'universités* modernes, des journaux réformistes apparurent un peu partout : au Caire, par exemple, le Syrien Rachid Ridha fonda *Al-Manar* (« Le Phare »), qui militait pour l'accès des femmes* à l'enseignement moderne. En Algérie et au Maroc, le réformisme fut illustré par Ben Badis et Allal al-Fassi, en Inde par Muhammad Iqbal, et en Indonésie par le mouvement de la Muhammadiya, qui incluait une section féminine. Le réformisme libéral est aujourd'hui éclipsé par les idéologies laïcisantes et, plus encore, par des mouvements intégristes qui visent au contraire à « réislamiser » la modernité.

SCIENCES

« Jusqu'en Chine, s'il le faut »

D'après les Traditions (*hadith*), Mahomet* aurait enjoint aux croyants d'« aller chercher la science jusqu'en Chine s'il le faut », car « la connaissance est obligatoire pour tous les musulmans ». Malgré les invasions, les destructions et la fragmentation territoriale, l'Islam classique offrait un univers intellectuel cohérent irrigué par l'arabe*, qui était alors la principale langue scientifique parlée de l'Asie centrale à l'Inde, de l'Andalousie au Maghreb. La féconde effervescence intellectuelle des premiers siècles de l'islam témoignait d'une démarche encyclopédique visant à exalter l'unité de l'homme et de la nature, à l'image de l'unicité de Dieu.

Les avancées de la recherche scientifique musulmane furent accomplies par des savants arabes et arabo-andalous, berbères, persans, turcs ou indiens qui maîtrisaient plusieurs disciplines à la fois. Celles-ci furent d'abord stimulées par la traduction en arabe de manuscrits scientifiques grecs, hellénistiques, perses, syriaques et sanscrits, et par la fondation de bibliothèques* de recherche publiques liées aux madrasas (voir Universités), aux hôpitaux et aux observatoires. Les mathématiques avec al-Biruni, Omar Khayyam, al-Khwarizmi (dont le nom latinisé a donné *algorithme*), l'astronomie avec al-Biruni encore, Ibn al-Haytham, Naser al-Din al-Tusi, la médecine avec al-Razi (Rhazès), Ibn

Zuhr (Avenzoar), Ibn Rushd (Averroès) et surtout Ibn Sina (Avicenne) atteignirent des sommets inégalés, et cela bien avant la Renaissance européenne. Cependant, l'excommunication des courants rationalistes à partir des XIe-XIIe siècles, puis la montée du fanatisme religieux handicapèrent, sinon l'étude des sciences, du moins les possibilités de découvertes et de progrès. L'Espagne, foyer de culture et de rencontres entre musulmans, juifs et chrétiens, joua un rôle majeur dans l'élaboration puis la transmission à l'Europe du savoir islamique, ainsi que d'une large part de textes grecs antiques et arabes. Un grand nombre de ces derniers, disparus ou détruits, ne survécurent que dans leurs traductions latines (ou hébraïques) réalisées par l'atelier de traduction de la Tolède chrétienne (jusqu'en 1150), puis dans celui de la cour du roi de Castille Alphonse le Sage (XIIIe s.).

Porte du caravansérail du Sultan Han, province de Nigde (Turquie), 1229.

Seldjoukides

Tôt convertis à l'islam, les Turcs seldjoukides (de Saljuk, leur ancêtre éponyme) servirent divers pouvoirs en guerre en Transoxiane (Asie centrale) à partir de la fin du Xe siècle, avant de se rendre maîtres de l'Iran oriental sous l'égide de leur chef Toghril (1038). Entré dans Bagdad*, celui-ci se fit reconnaître le titre de sultan* par le calife* en 1055. Profondément iranisé, le sultanat – dont Ispahan était la capitale – évolua très vite vers un État militaire hiérarchisé calqué sur le modèle persan, articulé sur une armée pluriethnique.

Au XIe siècle, le régime, alors à son apogée, reposait sur le compétent vizir persan Nizam al-Mulk, créateur des madrasas (voir Universités), mais aussi fer de lance de l'orthodoxie sunnite dont les Turcs s'étaient faits les champions. À partir de leurs possessions d'Iran et d'Irak, les Grands Seldjoukides conquirent l'Afghanistan et une partie de l'Asie centrale, et infligèrent une défaite écrasante (Manzikert, 1071) aux Byzantins qui ne s'en remirent jamais. Cette victoire ouvrit l'Asie Mineure aux vagues nomades turkmènes. Mais, en 1077, une querelle dynastique suscita l'apparition des Seldjoukides de Rum (de « Rome », l'Anatolie byzantine).

Contenant la pression de Byzance* et des croisades*, ces derniers installèrent définitivement les Turcs en Asie Mineure. L'invasion mongole de 1243 amorça néanmoins leur irréversible déclin. La « civilisation » seldjoukide a perduré à travers mosquées*, madrasas et caravansérails qui ponctuent, de leur belle présence, aussi bien les villes (Konya, Sivas) que les étapes sur la route commerciale entre la mer Noire et l'Iran.

Musulmans soufis, Kaboul (Afghanistan).

SOUFISME
« S'unir à Dieu par l'extase »

Le soufisme (en arabe* *tassawwuf*) est le mysticisme musulman dont le nom dériverait de *souf*, la « laine » en arabe : allusion à la pratique de ses adeptes qui s'en revêtaient par humilité, à l'imitation des anachorètes chrétiens syriens et égyptiens. Ce parti pris les fit surnommer « les pauvres » (en arabe *fakir*, en persan* *darwesh*, d'où vient le mot « derviche »). Bien que toléré, le soufisme fut souvent combattu par les autorités religieuses pour sa prétention à s'unir directement à Dieu par l'extase et non à travers la seule Révélation, et pour sa critique de l'hypocrisie religieuse et des injustices sociales. Pour le chiisme*, la réprobation du soufisme tenait sans doute au fait que ce courant religieux possédait déjà des intercesseurs en la personne de ses imams*. À partir du IXe siècle, alors qu'à leurs yeux l'élaboration du droit et de la théologie figeait la religion dans les seules formes de la charia*, les mystiques musulmans estimèrent l'ascèse nécessaire pour atteindre la « vérité spirituelle intérieure » (*al-Haqq*) en suivant la « Voie » – ou confrérie* (*tariqa*) – d'un maître spirituel (*cheikh*). Pour beaucoup, il s'agissait d'entrer directement en contact avec Allah*, une démarche impensable aux yeux de la majorité des croyants. Le grand poète mystique al-Hallaj alla jusqu'à proclamer son union totale avec Allah, ce qui lui valut d'être exécuté à Bagdad*, en 922.
On a détecté dans le soufisme l'influence de la philosophie hellénistique et du dualisme iranien préislamique, mais c'est de l'intérieur de l'islam qu'il s'est développé. Encouragé par le théologien al-Ghazali (mort en 1111), le courant soufi général s'est intériorisé au sein du droit canon et du courant sunnite général, une démarche cruciale alors que la société musulmane se trouvait menacée de désintégration politique. Le plus célèbre panthéiste soufi fut l'Espagnol Ibn Arabi, mort en 1240. Les grands poètes persans*, tels Jalal al-Din Rumi, Attar, Hafez, Jami (XIe-XVe s.), ont aussi imprégné leurs œuvres d'un profond mysticisme.

Eug. Delacroix 1845

Sultan

Le régime de gouvernement musulman idéal, le califat, réunissait le pouvoir spirituel – le calife* est le « commandeur des croyants » – et le pouvoir temporel politico-militaire. Le titre de sultan, en arabe* « détenteur de l'autorité gouvernementale », apparut officiellement en 1055, lorsque Toghril, un chef turc seljoukide*, se fit reconnaître cette fonction à Bagdad* par le calife abbasside. Pour cela, il mit en avant sa détermination à extirper l'hérésie et à lancer le djihad* contre les Fatimides* chiites* et contre les chrétiens, byzantins et croisés*. Le sultan associait ainsi son pouvoir avec la défense de l'orthodoxie sunnite : le pouvoir spirituel et temporel, jusqu'ici confondus dans la fonction califale, se trouvaient dès lors dissociés. On vit bientôt apparaître d'autres sultans auxquels rois (*malik*), chahs (dans le monde turco-iranien) et émirs (princes) se trouvaient subordonnés. Dans l'Inde du XIIIe siècle, des dirigeants mamelouks musulmans portèrent le titre. De même, le sultan ottoman* Sélim se serait fait concéder l'investiture califale par l'Abbasside fantoche du Caire, sans que la dynastie ait jamais utilisé le titre officiellement…

L'institution du sultanat fut abolie par le leader nationaliste et laïque Mustafa Kemal en 1922, deux ans avant le califat.

Eugène Delacroix,
Moulay Abd er-Rahman, sultan du Maroc, sortant de son palais de Meknès, entouré de sa garde et de ses officiers,
1845. H/t 384 × 343.
Toulouse, musée des Augustins.

UNIVERSITÉS

Une fois solidement établie au IXe siècle, la société islamique se dota d'institutions d'enseignement universitaire ouvertes à la spéculation intellectuelle. Ces établissements jouèrent un rôle majeur dans la transmission des sciences* anciennes – grecques et hellénistiques – et des disciplines théoriques, pratiques et « productives » selon le philosophe-encyclopédiste arabe al-Kindi, lequel s'appuyait sur les classifications aristotéliciennes. Au Xe siècle, l'*Énumération des sciences* du Turc al-Farabi, que l'Europe qualifiera de « deuxième philosophe » (après Aristote), influença des philosophes-professeurs musulmans majeurs comme Ibn Sina (Avicenne) et Ibn Rushd (Averroès). Des institutions où l'enseignement mettait l'accent sur la raison furent fondées, souvent couplées avec une bibliothèque*. On y traduisait et étudiait les ouvrages scientifiques et philosophiques grecs (Hippocrate, Galien, Ptolémée, Aristote, Platon), mais aussi perses, sanscrits, syriaques. Ces initiatives furent à la source des formidables avancées des sciences islamiques, mais leur diffusion à travers le monde musulman se heurta, à partir du XIe siècle, à une réaction antirationaliste qui finit par « fermer les portes » de l'*ijtihad* (« effort de réflexion personnelle »).

Une nouvelle institution universitaire apparut : la madrasa (« lieu d'étude », un terme tiré de *darasa* qui signifie « étudier » en arabe), appelée aussi *medersa* au Maghreb. Son cursus incluait notamment les arts libéraux (grammaire, rhétorique, logique), les mathématiques traditionnelles, le droit, la littérature, ainsi que les commentaires* et la psalmodie du Coran*. À la fin de leurs études, les étudiants recevaient un certificat de leur professeur. C'est à Bagdad* que fut fondé, vers 1067, le prototype de la madrasa, fer de lance de l'orthodoxie sunnite contre la spéculation philosophique et la propagande chiite*, qui essaima dans l'empire sous l'égide de

Université de la mosquée Dar al-Ulum, Hilcome (Angleterre).

Nizam al-Mulk, ministre des sultans* seldjoukides*. Dans ces « collèges d'État » – où habitaient professeurs et étudiants, ces derniers souvent boursiers –, les enseignants étaient choisis par le pouvoir central pour former les juges et les docteurs de la Loi (oulémas). En général attachées à des mosquées*, ces universités étaient entretenues par des fondations pieuses (*waqf*) ou par des mécènes : califes*, sultans ou riches particuliers. À partir du XIIIe siècle, l'architecture* de la madrasa s'imposa dans les villes musulmanes : on en comptait des dizaines rien qu'à Damas et au Caire.
Les madrasas perdurent aujourd'hui, parfois liées à des mosquées du vendredi*, mais elles ont tendance à être remplacées par des universités modernes – apparues depuis le XIXe siècle en Inde britannique, en Turquie ottomane*, en Égypte, au Liban, en Indonésie – plus spécialement attachées à l'étude des disciplines profanes.

Une femme voilée, Koweït.

■ Vendredi

Selon une injonction du Coran*, le vendredi (*yum al-jumaa*, « jour du rassemblement »), le plus grand nombre possible de musulmans adultes et de sexe masculin doivent participer à la prière publique de midi dans la principale mosquée* de la ville, couramment appelée « mosquée du vendredi » pour cette raison. Sauf cas exceptionnel, la prière ne peut se tenir dans plus d'une mosquée à la fois, une stipulation aujourd'hui intenable étant donné le gigantisme des villes.

À cette occasion, l'imam* – qui peut être remplacé par un prédicateur de renom – prononce un prône à partir du minbar*. Aujourd'hui, pour contrer les prêches « islamistes radicaux », les prédicateurs peuvent être des oulémas (docteurs de la Loi), fonctionnaires du ministère des Affaires religieuses.

À l'époque du Prophète et sous le califat, ce rassemblement permettait d'expliciter des points de dogme ou d'annoncer des événements graves, guerres, destitution ou avènement d'un nouveau dirigeant.

Le vendredi n'est pas nécessairement un jour férié, mais les croyants doivent obligatoirement cesser leurs activités courantes – en particulier les transactions commerciales – durant le temps de la prière (une heure environ).

Prière publique du vendredi, Malaisie.

VOILE
Du simple fichu au noir tchador

Le Coran* enjoint aux épouses du Prophète de se voiler, et aux femmes* en général de ne « montrer leurs atours » qu'à leur parentèle mâle la plus proche, père, époux, frères. En public, les femmes doivent se couvrir le corps, le cou, les chevilles et même les bras. Mais aucune législation ne leur prescrit explicitement de se voiler entièrement.

Le voile s'est généralisé d'abord chez les citadines – dès les Abbassides* –, tandis que les paysannes portaient un simple fichu. À l'origine, en effet, le voile facial ne faisait pas partie des coutumes* locales (*adat*) – nomades, Berbères, Afrique, Asie du Sud-Est... Depuis, des femmes pieuses l'arborent volontairement. Car, dans une société où la ségrégation des femmes est de mise en public mais aussi en privé – la partie « harem » (gynécée) des maisons traditionnelles –, beaucoup d'hommes, pression sociale et islamiste aidant, militent pour le port au moins du *hijab* encadrant le visage et couvrant les cheveux. Pour un nombre non négligeable de femmes, le *hijab* est une expression de la modernité – et un gage d'anonymat – car il leur permet de sortir, de travailler, bref de s'imposer dans l'espace public confisqué par les hommes. C'est aussi une façon d'affirmer leur respectabilité face aux fréquentes insultes de ces derniers... Cette revendication féminine de décence peut même traduire une critique de la vision jugée « dégradante » des femmes en Occident.

Outre le simple *hijab*, il existe diverses versions du voile. En public, les Iraniennes doivent en plus porter le *tchador*, un voile de corps noir – ou bien une ample gabardine de couleur terne dont l'usage s'est répandu dans tout le Moyen-Orient. Quant aux Afghanes et aux Pakistanaises, elles disparaissent sous la *burqa* (« barrière ») qui les recouvre tout entières, ne leur offrant qu'une fente grillagée à la hauteur des yeux.

C H R O N O

570 Année traditionnellement retenue pour la naissance de Mahomet.

622 Hégire du Prophète à Yathrib (la future Médine).

630 Prise de La Mecque par les musulmans et destruction des idoles de la Kaaba.

632 Mort du Prophète à Médine, siège du premier califat.

632-661 Les quatre « califes bien guidés » : Abu Bakr, Omar, Othman et Ali ; première stabilisation du texte du Coran, achevée sous les Abbassides.

637 Le calife Omar fait débuter l'ère musulmane à l'hégire.

633-645 Première vague de conquêtes, qui étendent l'Islam du Proche-Orient à l'Iran et à la Tripolitaine.

638 Prise de Jérusalem par les musulmans.

656-661 Califat d'Ali et origines du chiisme.

661-750 Nouvelle vague d'expansion sous les Omeyyades, de l'Asie centrale et de la vallée de l'Indus jusqu'aux Pyrénées.

670 Fondation de Kairouan (Tunisie actuelle), base pour l'islamisation et la conquête du Maghreb.

680 Hussein, fils d'Ali, est tué par les Omeyyades à Kerbela (Irak). La déploration de sa mort est centrale chez les chiites.

732 Charles Martel arrête les avant-gardes arabo-berbères en Gaule, près de Poitiers.

750 Début du califat abbasside. Mise en forme définitive de la langue arabe qui devient une science majeure.

750-850 Création des écoles juridiques musulmanes.

751 La victoire musulmane de Talas (près de Tachkent) stabilise les frontières entre la Chine et le monde de l'Islam, lequel se diffusera en Chine par le Xinjiang et à Canton par le biais des marins.

762 Les Abbassides fondent Bagdad, capitale de l'empire musulman.

789 Fondation de Fès (Maroc) par les Idrissides.

850-930 Période de production des « traditions » (*hadith*) ayant trait aux actes, aux paroles et aux réflexions du Prophète.

IXe-Xe s. Diffusion de l'islam (due notamment à des Berbères) en Afrique occidentale par les routes caravanières de l'or et des esclaves.

929 L'émir omeyyade d'Andalousie, Abd al-Rahman III (cinquante ans de règne), se proclame calife pour contrer le califat fatimide chiite du Maghreb.

969 Les Fatimides chiites fondent au Caire la mosquée-université d'al-Azhar, qui deviendra la plus prestigieuse université sunnite.

Xe-XIe s. D'abord esclaves militaires (mamelouks) en Asie centrale, les anciens nomades turcs islamisés fondent leur première dynastie, celle des Ghaznévides (977-1186), basée en Afghanistan à Ghazni (d'où son nom) et qui répandra le djihad en Inde.

1055 À Bagdad, le chef seldjoukide Toghril se fait reconnaître le titre de sultan par le calife, dissociant pour la première fois pouvoirs spirituel et temporel jusqu'ici réunis dans la fonction califale.

1086-1212 Deux dynasties berbères, les Almoravides (1056-1147) et les Almohades (1130-1269), unifient temporairement Maghreb et Espagne. Mais l'écrasante victoire chrétienne de Las Navas de Tolosa (1212) chasse les Almohades, sonnant le glas de la pérennité musulmane en Espagne.

1099 La prise de Jérusalem par les croisés marque le début d'une présence européenne, de près de deux siècles, au Proche-Orient.

1187 Le djihad mené par Saladin reprend Jérusalem aux croisés.

XIIe s. Présent depuis le Xe siècle par le biais de commerçants arabes, l'islam poursuit son implantation en Malaisie à partir de Sumatra.

1250-1517 Sous les Mamelouks au pouvoir en Syrie et en Égypte, Le Caire redevient un centre commercial et artistique international. La rédaction des *Mille et Une Nuits* y est achevée, reflet de sa prospérité.

1258 Les Mongols ravagent l'Orient musulman, anéantissent Bagdad et massacrent sa population. Un rescapé de la dynastie abbasside parvient à se réfugier au Caire auprès des Mamelouks.

XIIIe s. La création du sultanat de Delhi inaugure la présence définitive en Inde d'un islam conquérant et prosélyte.

Vers 1297 Implantation des premiers petits États islamiques à Sumatra.

XIIIe-XVe s. Prospère sous le gouvernement de ses khans (princes) islamisés, d'origine mongole, la Crimée passe sous suzeraineté ottomane à la fin du XVe siècle (avant de subir l'inexorable avancée russe aux XVIe-XVIIIe siècles).

1354-1396 Conquête et islamisation des Balkans par les Ottomans.

XIVe-XVe s. Partis de l'archipel indonésien, des musulmans (ancêtres des Moros actuels) s'implantent au sud des Philippines. En Afrique orientale, apogée des cités-États marchandes swahilies (« côtières »).

1453 Les Ottomans prennent Byzance, rebaptisée Istanbul.

1492 Les Rois Catholiques d'Espagne absorbent le royaume de Grenade, dernier témoin du pouvoir musulman dans la péninsule Ibérique.

XVe-début XVIe s. En Malaisie, le puissant sultanat commerçant de Malacca joue un rôle majeur dans la diffusion régionale de l'islam jusqu'à sa conquête par les Portugais (1511).

L O G I E

1516-1517 Conquête du Proche-Orient arabe par les Turcs ottomans.

XIVe-XVIe s. Renouveau politique, culturel et religieux de l'Iran.

XVIe s. Poursuite de l'islamisation de l'archipel indonésien où le royaume hindouiste de Majapahit (Java) est balayé.

1501 Ismaïl, chef de la confrérie de la Safawiya, prend le pouvoir en Perse et fonde la dynastie safavide (1501-1732). Il proclame le chiisme duodécimain religion d'État (toujours en vigueur dans l'Iran actuel).

1526-1858 Dynastie moghole en Inde, une période fastueuse sous ses six premiers empereurs qui unifient presque tout le sous-continent pour la première fois depuis l'empereur bouddhiste Ashoka (IIIe s. av. J.-C.)

1588-1626 Apogée de la Perse sous le chah safavide Abbas le Grand, qui renforce le chiisme face aux Ottomans, champions du sunnisme.

1609-1614 Expulsion d'Espagne des Morisques, les musulmans restés après la chute de Grenade et convertis de force au catholicisme.

XVIIe s. Le rigoriste sultanat d'Atjeh (Sumatra) connaît une période prospère alors que les Hollandais s'emparent progressivement de Java.

1783 Annexion de la Crimée musulmane par les Russes. Une grande partie des Tatars émigrent en Turquie et dans les Balkans.

1785, 1821, 1855 Insurrections musulmanes en Chine (contre le pouvoir central ou localement, au Xinjiang et au Yunnan).

1858 En Inde, les Britanniques mettent fin à l'exsangue dynastie moghole après la révolte des Cipayes (1857).

1859 L'imam tchétchène Chamil, chef de la révolte musulmane au Caucase commencée en 1834, est capturé par l'armée russe.

1865 En Asie centrale, Tachkent est la capitale du Turkestan russe qui regroupe des anciennes principautés (khanats), Samarkand, Boukhara.

1881-1899 Insurrection des derviches mahdistes au Soudan égyptien.

XIXe-début XXe s. Mouvement réformiste intellectuel et moderniste à partir de l'Islam (Turquie ottomane, Inde, Égypte, Syrie-Liban, Indonésie).

1922 et **1924** Mustafa Kemal, leader laïque de la Turquie moderne, abolit le sultanat puis le califat.

1928 Fondation en Égypte du mouvement islamiste des Frères musulmans.

1932 Fondation du royaume d'Arabie Saoudite, reposant sur le fondamentalisme wahhabite.

1979 Révolution islamique en Iran sous la direction du clergé chiite.

Années 1990 Démantèlement de l'URSS (1991). Les musulmans d'Asie centrale et du Caucase entre néocommunisme, capitalisme et « ré-islamisation ». 10 millions de musulmans vivent en Europe. Intolérance croissante dans les pays musulmans contre les chrétiens, y compris les coptes égyptiens, autochtones depuis des millénaires.

B I B L I O G R A P H I E   S É L E C T I V E

Le Coran, introduction, traduction et notes par Denise Masson, Gallimard, « Bibliothèque de la Pléiade », 1967.

Louis Gardet, *L'Islam, religion et communauté*, Desclée de Brouwer, [1967], 1982.

Maxime Rodinson, *Mahomet*, Seuil, [1968], 1994.

Henry Corbin, *En Islam iranien : aspects spirituels et philosophiques*, t. I, *Le Shiisme duodécimain*, Gallimard, [1971], 1991.

Abdelwahab Bouhdiba, *La Sexualité en Islam*, PUF, [1975], 1982.

A. Papadopoulo, *L'Islam et l'art musulman*, Mazenod-Citadelles, 1976.

S. Hossein Nasr, *Sciences et savoir en Islam*, Sindbad, 1979.

Chikh Bouamrane et Louis Gardet, *Panorama de la pensée islamique*, Sindbad, [1984], 1991.

Oleg Grabar, *La Formation de l'art islamique*, trad. Y. Thoraval, Flammarion, 1987.

Fatima Mernissi, *Le Harem politique : le Prophète et les femmes*, Albin Michel, 1987.

Marthe Bernus-Taylor (dir.), *Arabesques et jardins de paradis*, Collections françaises d'art islamique, musée du Louvre-RMN, 1989.

Robert Mantran (dir.), *Les Grandes Dates de l'islam*, Larousse, 1990.

Mohammed Arkoun, *La Pensée arabe*, PUF, 1991.

Cyril Glassé, *Dictionnaire encyclopédique de l'islam*, trad. et adapt. Y. Thoraval, Bordas, 1991.

Malek Chebel, *L'Imaginaire arabo-musulman*, PUF, 1993.

Alain Gresh (dir.), *Un péril islamiste ?*, Éditions Complexe, 1994.

Yves Thoraval, *Dictionnaire de civilisation musulmane*, Larousse, 1995.

C. E. Bosworth, *Les Dynasties musulmanes*, trad. et mise à jour Y. Thoraval, Sindbad, 1996.

Annemarie Schimmel, *Le Soufisme ou les dimensions mystiques de l'islam*, Éditions du Cerf, 1996.

Dominique et Janine Sourdel, *Dictionnaire historique de l'islam*, PUF, 1996.

Ali Mérad, *L'Exégèse coranique*, PUF, 1998.

Malek Chebel, *Les Symboles de l'islam*, Assouline, 1999.

پیشوران و اینه داری در محله کوران و لیلی در معنی
سخن دراز در معنی این آیت ونحن اقرب الیه من
رسانیده بود
قطعه

INDEX

Crédits photographiques : DUBLIN, Chester Beatty Library 89 ; ISTANBUL, bibliothèque du palais de Topkapi 27, 100 ; musée des Arts turcs et islamiques 18h ; KOWEÏT, Musée national 10b ; NEW YORK, Metropolitan Museum of Art 43 ; PARIS, Bibliothèque nationale de France 7, 8, 9, 32-33, 36-37, 46-47, 58, 75, 79, 103 ; Dagli Orti 10h, 17, 38-39, 76, 81, 85, 90, 96, 97, 107, 108 ; Gérard Degeorge 23, 95 ; archives Flammarion 19, 31, 35, 84, 86 ; Hoa Qui /M. Renaudeau 13 /Gérard Bernard 55 ; Magnum /Abbas 6, 14, 24-25, 26, 28-29b, 45, 49, 50, 52, 64, 70-71, 83, 99, 109, 112-113, 114, 115 /Raghu Rai 15 /Chris Steele Perkins 20-21 /Bruno Barbey 22, 61, 62-63, 69, 93, 105 /Erich Lessing 34 /Mayer 40 /Steve McCurry 59 /Patrick Zachmann 68 /Susan Meiselas 101 ; Philippe Maillard 11, 42 ; Pascal et Maria Maréchaux 29h ; Musée des Arts décoratifs 98 ; Réunion des musées nationaux 4-5, 18b, 66, 72-73 ; Roger-Viollet 106 ; Christian Sappa 74 ; C. Tréal et HJ.M. Truiz 56-57, 80 ; TOULOUSE, musée des Augustins 110-111.

À mon frère Jean-François, une clé pour cet « Orient » qui l'attire.

Série Histoire et Religions
Directrice d'ouvrage : Bérénice GEOFFROY-SCHNEITER
Coordination éditoriale : Béatrice PETIT
Lecture et corrections : Christine EHM
Direction artistique : Frédéric CÉLESTIN
Fabrication : Claude BLUMENTAL
Photogravure : Pollina s.a., Luçon
Flashage : Pollina s.a., Luçon
Papier : Technogloss 135 g distribué par Fargeas, Paris
Papier de couverture : Carte Gemini 250 g distribuée par Axe Papier, Champigny-sur-Marne
Couverture imprimée par Pollina s.a., Luçon
Achevé d'imprimer et broché en décembre 2000 par Pollina s.a., Luçon

ISBN : 2-08-012660-1
ISSN : 1281-4148
N° d'édition : FA 266002
N° d'impression : L82141
Dépôt légal : mars 2000

Imprimé en France

Pages 4-5 : Gustave Guillaumet (1840-1887), *La Prière du soir dans le Sahara* (détail). H/t. Paris, musée d'Orsay.

Page 118 : *Saadi prêchant.* Page d'une copie du *Gullistan* de Saadi, Inde, v. 1600. Coll. part.